脱原発・脱炭素社会の構想

原水禁エネルギー・シナリオ

原水爆禁止日本国民会議 編著

緑風出版

はじめに

　原水爆禁止日本国民会議（原水禁）はこれまで「2050 年自然エネルギー 100％エコ・エネルギー社会への提言」（2005 年 7 月）、「持続可能で平和な社会をめざして」（2011 年 1 月）の 2 度にわたるエネルギー政策をまとめ、原発のない持続可能な社会の展望を明らかにしてきました。

　しかしその後の 2011 年 3 月 11 日の東京電力福島第一原発事故により、原発はもとよりエネルギーを取り巻く環境は大きく変わり、気候変動問題の深刻化とともに新たなエネルギー社会の展望を描き、政策提言を積極的に発信していくことが必要となってきました。

　ついては東京電力福島第一原発事故以降の新たな状況を踏まえ、原水禁としてのエネルギー政策をまとめ、広く世論に訴えていきたいと考えます。

委員会メンバー
座長
　長谷川公一　（東北大学名誉教授／尚絅学院大学大学院特任教授）
委員
　末田一秀（はんげんぱつ新聞編集委員）

　手塚智子（市民エネルギーとっとり代表）

　藤堂史明（新潟大学准教授）

　松久保肇（原子力資料情報室事務局長）

　松原弘直（環境エネルギー政策研究所〔ISEP〕理事）

　桃井貴子（気候ネットワーク　東京事務所長）

特別顧問

　藤井石根（明治大学名誉教授）

　西尾漠（原子力資料情報室共同代表）

事務局

　北村智之（原水爆禁止日本国民会議　事務局長）

提言

⑴　東京電力福島第一原発事故の反省をもとに、日本は 2030 年まで
　に原発ゼロをめざすことを宣言すること。さらに 2030 年までに石
　炭火力ゼロ、2050 年までに LNG 火力ゼロにすることをめざす。こ
　れをポストコロナ時代のグリーン・リカバリー政策と位置付ける

⑵　2030 年度の温室効果ガスの排出削減目標（2013 年度比 26% 削減）[1]
　を見直し、1990 年比で少なくとも 50% 削減へと目標を引き上げる

⑶　六ヶ所村に建設中の再処理工場の建設を中止し、核燃料サイクル
　路線を中止する

⑷　カーボン・プライシングの導入など、脱炭素社会への転換を進め
　るための政策を本格化する

⑸　エネルギー多消費型の経済成長志向政策から脱却し、エネルギー
　の効率利用に向けた、社会全体の構造的な転換をはかる

⑹　地域エネルギーの活用を促進し、脱炭素社会への転換と、人口減
　少地域の地域振興策などを連動させる

⑺　自転車や公共交通の利用を重視した都市構造への転換をはかる

⑻　地域や市民によるボトムアップ型の実践が迅速に進むよう、国の
　政策や計画に影響を与えるなどの役割を持つ、強力な市民社会的連
　合体を形成する

....

１）　提言概要を公表した 3 月段階。4 月 22 日、政府は削減目標を 2013 年比 46%
　　（1990 年比 39%）に引き上げると公表した。

2

原子力が地域の重荷となる現実 （藤堂 史明）

3

石炭火力の現状と課題 （桃井 貴子）

第2部　可能性 73

1

世界と日本の自然エネルギーの現状と展望（松原 弘直）73

2

持続可能な地域づくりとエネルギーの大転換（手塚 智子）101

3

長期エネルギー需給予測（松久保 肇）　　　　**129**

2030年原発ゼロ・石炭火力ゼロの日本をめざして

長谷川 公一

1. 日本は福島原発事故から何を学んだのか

2011 年 3 月 11 日に起こった東京電力福島第一原子力発電所の事故から満 10 年が経過した。数万人規模の人びとが「ふるさと」を失い、先祖伝来の田畑や漁場を失い、生業を奪われた。地域が分断され、平穏な家庭生活が破壊された。

福島原発事故は、避難者・被災者対策、原因究明、事故処理・廃炉化・処理水・汚染土対策、事実上経営破綻した東京電力の経営再建等、さまざまの面で今なお多くの困難な課題を抱えたままである（末田担当章参照）。

多くのものが失われ、多大な犠牲を生み出したにもかかわらず、肝心の原子力政策やエネルギー政策には実質的にどの程度の変化があっただろうか。

2012 年 12 月の第 2 次安倍政権成立以降、原子力発電は重要なベースロード電源とされ、国政選挙での争点化は避けながら、再処理政策を含めた原子力維持政策がなしくずし的に堅持されてきた。

2012 年以降石炭火力発電所の新設計画も全国で相次ぎ、計 50 基にも及ぶ。そのうち約 3 割にあたる 13 基は中止もしくは木質バイオ 100％に計画変更されたが、2021 年 1 月末現在、2012 年以降計画されたものの中で 21 基が稼働している（桃井担当章参照）。

日本政府は、原発に執着するとともに、石炭依存を深めてい

る。原発過酷事故の当事国でありながら、日本政府および電力会社の動きはきわめて鈍い。

2020年9月に発足した菅義偉政権は10月、2050年までに温室効果ガスの排出を実質ゼロにする「脱炭素社会の実現をめざす」ことを宣言した。現在、具体的な工程の検討が進められているが、この宣言は、原発の再稼働や延命、リプレースを進める口実として使われる可能性が高い。

福島原発事故は、原発依存的な日本の電力供給体制のゆがみ・硬直性、10電力会社の地域独占の弊害、系統の脆弱性など、日本の電力政策の大きな問題点を浮き彫りにした。しかし、原子力規制委員会の発足（2012年9月）、FIT（固定価格買取制度）の導入（2012年7月）、家庭向け電力小売の自由化（2016年4月）などが行われはしたが、原子力政策の実質的変化で目立つのは、「高速増殖炉」という言葉がエネルギー基本計画から消え、2016年12月政府が、95年12月のナトリウム漏れ事故以来、長期休止中だった高速増殖炉もんじゅの廃炉を決定したことぐらいである。

興味深いのは、民主党政権と第2次安倍政権が原発輸出に力を入れてきたにもかかわらず、UAE、ベトナム、トルコ、イギリスへの原発輸出プロジェクトのいずれもが中途で挫折し、建設工事に至ったものは1例もなく、中止が決定したことである。そのことは原発建設が高コスト化し、採算が取りがたくなってきたことの何よりの証左である。

2. ドイツ・台湾・韓国などのエネルギー転換

ドイツは福島原発事故を契機に、2011年末時点で稼働中の9基の原発を2022年末までに全廃することを決定、2020年末までに3基を閉鎖した。自然エネルギーによる発電を増やし、2018年には

発電電力量の 35％を供給、2030 年には 65％以上をめざしている（松原担当章参照）。2020 年 1 月には、石炭火力発電所を段階的に減らし、2038 年までに全廃する法案を閣議決定した。石炭火力はドイツの発電電力量の約 23％を占めている（2020 年現在）。ドイツは、脱原発と脱石炭の双方をめざして世界をリードしている。

スイスは 5 基の原発が、電力の約 40％を供給してきた。55％は水力発電で、残りの 5％は火力発電に依存している。福島原発事故を受けて、2011 年 5 月に新設を断念し、各原発は稼働期間 50 年間で閉鎖することにした。最後の原発は 1984 年に稼働を開始したから、2034 年に全原発が閉鎖されることになる。2017 年にこれらの点を法制化している。

台湾も 2016 年に就任した蔡英文総統のもとで、2025 年までに稼働中の原発 3 基をすべて閉鎖する「非核家園（原発のない郷土をつくる）」政策を進めている（他の 3 基は既に閉鎖されている）。

原発の年間発電電力量が世界 5 位の韓国も、大統領選挙期間中の公約にしたがって、文在寅大統領は就任直後の 2017 年 6 月、石炭火力発電の見直しとともに、原発の新規建設計画をすべて白紙に戻し、老朽化した炉については稼働期間の延長を認めず、今後 40 年以内に原発ゼロをめざし、自然エネルギーの推進と天然ガス火力に力を入れると宣言した。ただし環境団体などからは、今後 40 年の目標が遅すぎるという批判が強い。

台湾・韓国ともに、日本と同様にエネルギーの海外依存度が高く、隣国からの電力供給が見込めない中で、政権トップが明確な目標を掲げて、エネルギー転換（energy transition; energy shift）に真摯に取り組んでいる。

福島原発事故と 2015 年 12 月のパリ協定採択を受けて、エネルギー転換は国際的なキーワードとなっているが、日本政府はこれに正面から向き合おうとしてこなかった。

3．原子力政策の一元化──資源エネルギー庁主導へ

　では政策決定過程はどのように変化したのか。日本の原子力政策は、福島原発事故前は、総合資源エネルギー調査会と原子力委員会の二本立てだった。

　福島事故をふまえて、当時の民主党政権は、2011 年 6 月、国家戦略担当大臣を議長とする「エネルギー・環境会議」という関係閣僚会議を新たに設置、この会議が原子力政策の実質的な決定権をもつことになった。2012 年 9 月に発表された「革新的エネルギー・環境戦略」は、この会議が決定した。エネルギー政策の見直しを経済産業省・資源エネルギー庁から切り離し省庁横断的に行おうという画期的な取り組みだったが、第 2 次安倍政権は新しい戦略を破棄し、この会議も廃止された。

　原子力委員会は、安倍政権のもとで「在り方見直しのための有識者会議」がつくられ、委員を 5 人から 3 人に減らし、「今後は委員会の中立性を確保しつつ、①原子力の平和利用と核不拡散②放射性廃棄物の処理処分③原子力利用に関する重要事項に関する機能に重点を置く」ことになり、大幅に機能が縮小され、存在感は希薄になった。エネルギー・原子力政策は、総合資源エネルギー調査会基本政策分科会に事実上一元化された。エネルギー基本計画を審議しているのは、この分科会である。

　福島原発事故後、原子力規制委員会の発足にともなって安全規制は手放したものの、経産省・資源エネルギー庁への「原子力行政の一元化」はかえって進み、実質的にはさらに強固なものになった。背景にあるのは、第 2 次安倍政権における経産官僚の影響力の大きさであった。元経産官僚の首相側近は、資源エネルギー庁元次長の今井尚哉首相秘書官兼補佐官、首相補佐官と内閣広報官を兼務

する長谷川榮一元中小企業庁長官ら９名にものぼった。

　菅政権のもとでは、今井尚哉は内閣官房参与に退き、長谷川榮一は退任するなど、経産官僚主導色は薄まっている。

４．繰り返される無責任体制

　福島原発事故については、東京電力株式会社自身によるものを含め、４つの事故調査報告書がつくられたが、政府及び東京電力株式会社自身が原因究明にきわめて消極的なために、事故から10年を経た今なお、事故原因および過酷事故に至るメカニズムは十分究明されてはいない。発電所内の配管や安全上重要な機器でどんなことがおきているか十分調査できていないうちに、限定的な情報のもとで解析を行い、それに基づいて耐震安全性が確保されているかのように振る舞っている。地震の影響を認めると、他の原子力施設の耐震性審査などへの影響が大きくなることを怖れるからであり、きわめて無責任である。国会事故調はまた、未解明部分の事故原因の究明などを調査審議するために、国会に原子力事業者や行政機関から独立した民間中心の専門家からなる第三者機関として仮称原子力臨時調査委員会（仮称）を課題別に設置することを提言したが、この提言は無視されたままである。

　他の原発への波及を最小限のものにとどめたい、再稼働を急ぎたい、東京電力を温存したいという関係者の思惑が、責任追及を曖昧化させ、原因究明を妨げ、現状維持的な政策を続けさせてきた。

　このような思惑は事故の過小評価と被害の軽視をもたらし、早期帰還への圧力となり、福島原発事故の避難者を苦しめ、政策転換を妨げ、原発再稼働を促すという一連の負の連鎖を生み出す元凶となっている。これだけの大事故が起きたにもかかわらず、政府と電力会社は責任を取ることなく、教訓を学ぼうともしていない。

５．沸騰水型炉１基も再稼働できず

　福島原発事故後、原子力規制委員会の新体制のもとで９基が再稼働したが、これらはいずれも西日本にある加圧水型炉で、福島原発と同じ沸騰水型炉はまだ１基も再稼働に至っていない。2020年12月末時点で稼働中は、九州電力の川内１号機・玄海３号機の２基のみである。川内２号機・玄海４号機、四国電力の伊方３号機、関西電力の高浜３・４号機、大飯３・４号機の７基は定期点検のため休止中である。

　本州の東日本では、事故後の10年間、原発は１基も稼働していない。にもかかわらず電力需給が逼迫したことはない。東北電力の女川２号機、日本原電の東海第二原発、東京電力の柏崎刈羽６・７号機[1]について各電力会社は早期の再稼働をめざしているものの、具体的な再稼働の目途は１基も立っていない。

　東日本大震災で被災した女川２号機は2020年２月に原子力規制委員会の安全審査に合格し、11月に地元自治体の宮城県知事・石巻市長・女川町長が再稼働への同意を表明した。しかし地元紙の世論調査では宮城県内有権者の約７割は再稼働に反対している。2018年秋には県民投票条例の制定を求める署名が、必要数の約３倍を越える11万筆以上集まった。ただし宮城県議会は、条例制定を求める請願を２度にわたって否決している。

　福島原発事故の衝撃の大きさと、事故後の世論の力が、沸騰水型炉の再稼働を押しとどめてきたのである。

1）東京電力は早期再稼動を目指していたが、完了したとしていた工事が複数箇所で未完了だったことが今年になって明らかになった。また同原発で発覚した放射性物質の防護体制の不備が相次ぎ発覚したことから、原子力規制委員会は４月14日、柏崎刈羽原発の核燃料の移動や装填を禁じる行政処分の是正措置命令を決定した。

東海2号機、柏崎刈羽6・7号機は、安全審査は終了したものの防災計画は策定中で、再稼働に向けた地元同意の目途も立っていない。

　17の地域に原子力発電所は立地してきたが、地域振興に成功し、人口流出を止め得た例は一例もない。むしろ原子力発電所は原発依存のいびつな地域経済を作りあげてきた（藤堂担当章参照）。

　2020年12月大阪地裁は、大飯原発3・4号機の基準地震動は過小評価であるとして、国に対して、同原発の設置許可の取消しを言い渡す画期的な判決を下した。原子力規制委員会の耐震性判断の甘さが裁判で認定されたのである。福島原発事故後、原発の差止めを認める司法判断は計7例となった。

　石炭火力についても、仙台・神戸・横須賀で、計4つの裁判が提起された。電気事業者は、原発についても、石炭火力についても、「訴訟リスク」を無視できない時代を迎えている。

6. 提言　2030年までに原発ゼロ・石炭火力ゼロをめざす

　本提言では、福島原発事故の反省をもとに、日本は2030年までに原発ゼロ・石炭火力ゼロをめざすことを宣言することを提案する。エネルギー・ミックス（松久保担当章）のシナリオが示すように、エネルギー利用の効率化をはかり、太陽光発電や風力発電などの自然エネルギーの設備容量を拡大することで、2030年までに原発ゼロ・石炭火力ゼロ・石油火力ゼロを実現することは可能である。あわせて高速増殖炉もんじゅの閉鎖等によって完全に破綻している六ヶ所村に建設中の再処理工場の建設を中止し、核燃料サイクル路線を中止する（末田担当章参照）。太陽光発電とともに洋上風力発電の設備容量を拡大することで、さらに2050年までにLNG火力をゼロにすることをめざす。

「2050年温室効果ガス排出実質ゼロ」の目標と、パリ協定を順守するために国際的に求められる1.5℃の気温目標と整合するように、2030年度の温室効果ガスの排出削減目標（2013年度比26%削減）を見直し、1990年比で少なくとも50%削減へと目標を引き上げる。

福島原発事故の当事国である日本が、エネルギー利用の効率化と自然エネルギーの設備容量の拡大によって、2030年までに原発ゼロ・石炭火力ゼロの同時達成をめざすことは、ポストコロナ時代のグリーン・リカバリー策としても大きな意義があり、国際的なメッセージ性も高い。

7．廃炉化の具体的な方途

福島原発事故後、福島第一原発・第二原発計10基を含め、老朽化した原子炉24基については既に廃炉が決定している。現在建設中の電源開発大間・東京電力東通・中国電力島根3号機の建設は即時に中止する。必要な法令等を整備したうえで、新規制基準の適合性審査に申請していない原発8基および審査中の9基、審査合格した7基の計24基については、再稼働させることなく廃炉を決定する。現在稼働中の9基については、運転差止めの仮処分を認めた2020年1月の広島高裁判決[2]をふまえて現在休止中の伊方3号機についてはそのまま廃炉とする。2020年12月大阪地裁が国に対して設置許可の取消した大飯3・4号機についても廃炉とする。残りの6基、九州電力4基（川内1・2号機）、関西電力2基（高浜3・4号機）については、2030年までに順次廃炉とする。

石炭火力発電所については、現在建設・計画中の発電所14基については即時に建設中止とする。そのほか稼働中の石炭火力発電所

2）2021年3月18日、広島高裁は異議審で同高裁の仮処分決定を取り消している。

181基（自家発電用を含む）については、発電効率の低い亜臨界型炉（115基）を2023年までに、超臨界圧型炉（20基）を2025年までに、超々臨界圧型炉（46基）を2030年までに順次廃炉とする（気候ネットワーク『石炭火力2030フェーズアウトの道筋 2020年改訂版』参照）。

　原子力発電所は重大事故の危険性、放射性廃棄物の処理問題、核拡散の危険性など、多くの難題を抱えている。防災対策の追加拡充などで発電単価が上がり、コスト的に競争力を失い、新規建設は停滞し、国際的には原子力発電は時代遅れの技術となりつつある。

　LNG火力に比べて、約2倍の二酸化炭素を排出する石炭火力発電所に対しては国際的批判が強く、イギリス・カナダをはじめ、多くの先進国が、2030年までに石炭火力を全廃することを宣言している。

　原子力発電や石炭火力発電などに依存しない社会への着実な転換を遂げていくためには、ドイツやＥＵ諸国を参考に、エネルギー多消費型の経済成長志向の政策から脱却し、エネルギーの効率利用に向けた、社会全体の構造的な転換をはかることが肝要である。太陽光発電とともに、国産木質バイオや小水力発電、風力発電などの地域エネルギーの活用促進によって、脱炭素社会への転換政策と、人口減少地域の地域振興策などを連動させることが重要である（手塚担当章参照）。エコ・モビリティのもとに、自転車や公共交通の利用を重視した都市構造への転換も、途上国を含む世界各地で取り組まれている。

　ドイツが先頭を切って示しているように、脱原子力・脱炭素社会への転換をめざすことこそ、福島原発事故から日本社会が学ぶべき最大の教訓である。

　実際日本でも、原発の発電電力量が少ないにもかかわらず、2013年度の14億1000万トンをピークに、14年度以降5年続けて温室効果ガスの削減が続き、2019年度は、13年度と比べて14.0％減っ

図1　日本の温室効果ガス排出量の推移

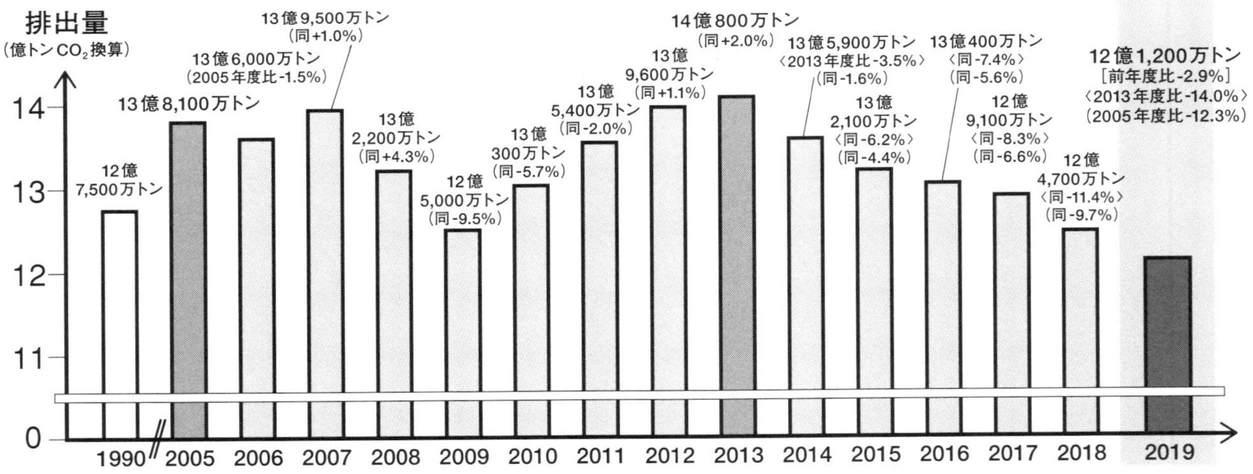

排出量
(億トンCO$_2$換算)

14 —
13 —
12 —
11 —
0 —

1990　2005　2006　2007　2008　2009　2010　2011　2012　2013　2014　2015　2016　2017　2018　2019

12億7,500万トン

13億8,100万トン

13億6,000万トン
(2005年度比-1.5%)

13億9,500万トン
(同+1.0%)

13億2,200万トン
(同+4.3%)

12億5,000万トン
(同-9.5%)

13億300万トン
(同-5.7%)

13億5,400万トン
(同-2.0%)

13億9,600万トン
(同+1.1%)

14億800万トン
(同+2.0%)

13億5,900万トン〈2013年度比-3.5%〉
(同-1.6%)

13億2,100万トン
〈同-6.2%〉
(同-4.4%)

13億400万トン〈同-7.4%〉
(同-5.6%)

12億9,100万トン
〈同-8.3%〉
(同-6.6%)

12億4,700万トン
〈同-11.4%〉
(同-9.7%)

12億1,200万トン
[前年度比-2.9%]
〈2013年度比-14.0%〉
(2005年度比-12.3%)

出典：環境省

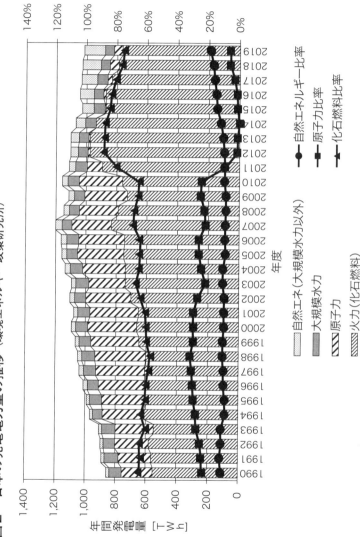

図2　日本の発電電力量の推移（環境エネルギー政策研究所）

出典：環境エネルギー政策研究所

ている（図1）。発電電力量のピークは 2007 年であり、2019 年度の発電電力量は、07 年と比較して 15％も下がっている（図2）。

　日本でも、ＥＵ諸国のように、経済成長と二酸化炭素排出量の増大との分離、経済成長と発電電力量の増大との分離（「デカップリング」と呼ばれる）が既に定着しつつある。カーボン・プライシングの導入など、このデカップリングを進めるための政策を本格化させるべきである。

　必要なのは、エネルギー政策転換の政治的決断であり、政府に政治的決断を促すような政治状況を早急につくりだすことである。

1

原子力・核燃料サイクル政策の破たん

末田 一秀

概要

⑴　国は東京電力福島第一原発事故の事故責任を認め、各地の損害賠償請求訴訟での不当な主張を取り下げ、「原子力損害の範囲の判定等に関する中間指針」等を見直すべき。また損害賠償請求権の消滅時効期間を再延長する法改正が必要。

⑵　福島第一原発の廃炉完了時にどのような状態を目指すのか明らかにすべき。また汚染水の海洋投棄、除染土の再利用は行うべきでない。

⑶　原子炉等規制法に定めた原発運転期間原則 40 年ルールは厳格に運用すべき。また東京電力福島第一原発事故の検証作業を継続、徹底し、その結果に基づいて安全基準を見直すべき。さらにバックフィット制度では、最新の知見により基準不適合が確認された原発の運転停止命令を義務付けすべき。

⑷　原子力防災制度の実効性を審査する第三者委員会制度の創設。

⑸　核燃料サイクルについては、見込みのない高速炉開発から完全に撤退すべき。また六ヶ所再処理工場の建設・操業を中止し、プルサーマル計画を見直すと同時に、プルトニウム削減策の研究・検討が必要。

⑹　高レベル廃棄物処分法及び交付金制度の見直しと廃炉原発の早期

の解体撤去方針の見直しが求められる。

＊　　　＊　　　＊

　日本の原子力政策は破綻している。安全神話が崩壊した福島原発事故から10年。依存度を可能な限り低減するとしながら、その具体策を示すことなく、裏では相も変わらぬ原子力推進を画策し、政策破綻による矛盾を放置し拡大してきた。

1．福島原発事故

(1) 事故の検証

　現行のエネルギー基本計画は、冒頭で「東京電力福島第一原子力発電所事故の経験、反省と教訓を肝に銘じて取り組むことが原点であるという姿勢は一貫して変わらない。東京電力福島第一原子力発電所事故で被災された方々の心の痛みにしっかりと向き合い、寄り添い、福島の復興・再生を全力で成し遂げる。政府及び原子力事業者は、いわゆる『安全神話』に陥り、十分な過酷事故への対応ができず、このような悲惨な事態を防ぐことができなかったことへの深い反省を一時たりとも放念してはならない」と記している。

　しかし、事故の反省はおろか教訓を学ぼうという姿勢も後退を続けている。

　政府事故調、国会事故調、民間事故調、東電事故調が事故の翌年に相次いで報告書を公表した。例えば国会事故調は未解明の事故原因等を調査審議するために国会に専門家からなる原子力臨時調査委員会（仮称）を設置して引き続き調査、検討を行うことを提言したが、実現していない。結果、原子力規制委員会（以下、規制委）が2013年5月から2020年末までに17回開催している「東京電力福

島第一原子力発電所における事故の分析に係る検討会」以外は、新潟県が設置している「原子力発電所の安全管理に関する技術委員会」が唯一の場となってきた。その新潟県の技術委員会が2020年10月26日に報告書「福島第一原子力発電所事故の検証」を取りまとめている。

　新潟県技術委員会での重要な論点の一つ、国会事故調が指摘した地震動により重要機器が損傷した可能性の問題に触れておきたい。事故は津波による電源喪失が原因と考えられて新規制基準では津波対策が強化されているが、地震動で機器や配管に損傷が生じた影響が無視できないとすれば、基準のさらなる強化が必要だからだ。この問題について、規制委は2014年10月8日に中間報告をまとめ、地震動により重要機器が損傷した事実は確認していないとしている。新潟県技術委員会の結論は「地震動により非常用復水器（IC）系統の設備が損傷した客観的証拠は確認していない。一方で、損傷はなかったとする決定的な根拠がなく、損傷の可能性について完全には否定することはできない」である。よって「特に重要配管については基準地震動に対する耐震性について十分に確認する必要がある」等の課題が取りまとめられている。

　新潟県の設置した委員会の結論であるから柏崎刈羽原発の再稼働をめぐる議論に反映されるのは当然だが、規制委も「教訓を学ぼうという姿勢」を徹底し、基準見直しの必要性などさらなる検討を行うべきである。また、福島原発の事故現場の放射線量が高く、現場検証が行えないことから十分に解明できない事柄もある。安全が確保されるのであれば、廃炉作業で現場が改変される前に必要な調査は行われるべきである。

⑵ 国や東電の責任問題

　事故は予見し回避することが出来たのではないか。東電幹部3人

を被告とした刑事裁判では、2019年9月19日に東京地裁で無罪判決が出されたが、事故を防ぐためには原子炉停止が必要だったとして有罪認定のハードルを不必要にあげていることなど多くの疑問がある。指定代理人の控訴により審理は高裁の場へと移ることとなった。

　一方、被災者の集団訴訟においては、東電はもとより国の責任についても認める判決が出されている。中でも注目されるのは、国の責任について初めての高裁判断となった「生業訴訟」仙台高裁判決（2020年9月30日）である。判決は、「設備の水密化」など必要な対策を講じていれば事故は回避できたと認定し、「東電による不誠実とも言える報告を唯々諾々と受け入れ、規制当局に期待される役割を果たさなかった」と国を断罪している。

　加害責任を明らかにすることは、福島の教訓を活かすためには不可欠のことだ。東電や国は持てる資料をすべて開示して真相究明に協力するとともに、いたずらに控訴、上告することで被災者の救済、賠償を遅らせるべきではない。

(3) 被災者の救済

　健康被害はもとより住居や仕事など生活基盤を失い、3世代同居も多かった家族が分断され、地域コミュニティが丸ごと喪失するなど、被災者の受けた被害は多岐にわたり深刻かつ継続的なものだ。お金では取り戻せないものも多いが、本来そのすべてが完全に賠償されなければならない。ところが、全国各地で集団訴訟が起こされていることから明らかなように、賠償は十分ではない。原子力損害賠償紛争審査会は、「生業訴訟」仙台高裁判決など司法判断を踏まえて「原子力損害の範囲の判定等に関する中間指針」等を見直すべきだ。

　また、事故から10年を経過し、民法上の損害賠償請求権の時効

を特例で延長した期限を迎えた。東電は時効を理由に断ることはないとしているが、原子力損害賠償紛争解決センター（ADRセンター）の和解を多数拒否している現状に鑑みると、問題が生じる可能性が高い。損害賠償請求権の消滅時効期間を再延長する法改正を行うべきである。

⑷ 廃炉作業

政府と東電が廃炉工程を示した「中長期ロードマップ」では、廃炉完了は冷温停止から30〜40年後とされ、現在は第2期とされている。2021年中に2号機で燃料デブリを数グラム取出し第3期移行を宣言する目論みであったが、コロナによりイギリスでの試験が進まないため、予定されていた今年中の着手は見送られるとされている。

総量880トンと推計されている燃料デブリがどこにどのような状況で存在するかも、これまでの調査で十分把握できているとは言えず、取り出し方法も手探りの状況が続いている。また、仮に取り出すことが出来たとして、それをどこでどのように保管するのかも明らかでない。

燃料プールからの使用済燃料の取り出しについても、3号炉、4号炉は完了したものの、1号炉は2027〜2028年度、2号炉は2024〜2026年度に着手の計画であり先は長い。格納容器の蓋にあたるシールドプラグで新たに見つかった高濃度のセシウム汚染も今後の廃炉作業に影響を与えるだろう。

廃炉完了時にどのような状態を目指すのか、明らかにして地元をはじめとする関係者の同意を得るべきだ。無理をしてデブリを取り出す必要があるのか検討を行うべきである。

汚染水を海洋放出してはいけないこと、除染土の再利用を行うべきでないことは言うまでもない。

２．原発再稼働の諸問題

⑴ 再稼働の現状

　現行の第５次エネルギー基本計画は、原子力について「長期的なエネルギー需給構造の安定性に寄与する重要なベースロード電源」と位置づけ、原発 20 ～ 22％という「電源構成比率の実現を目指し、必要な対応を着実に進める」としている。この数字の達成には策定当時に存在した原発の約８割を再稼働させたうえで、老朽原発の運転期間を特例で 20 年間延長させる必要があるため、策定時から批判されてきた。

　福島事故時に稼働していたのは 54 基であった。新規制基準適合審査に合格した 16 基のうち再稼働したのは９基にすぎず、その９基も裁判による運転差止めや特定重大事故等対処施設（特重施設）の工事の遅れで稼働率は上がっていない。基準に合格して再稼働していない７基のうち柏崎刈羽の２基、東海第二は地元同意のめどが立っていない。福島事故後廃止になったものが 21 基、基準適合審査への申請すら見送りされているものが８基あり、11 基が審査中だが活断層の存在が指摘されるなどして長期化した審査の終わりは見えない。

　2012 年の原子炉等規制法改正により導入された運転期間 40 年ルールについて、衆議院環境委員会（2012 年６月５日）で細野原発担当大臣は、「原則として 40 年以上の原子炉の運転はしないということにいたしまして、経年劣化の状況を踏まえまして、延長する期間において安全性が確保されれば例外的に運転を継続をするという形にしておりますが、そこは、科学的にしっかりと確認をした上で、申請に基づいてやるということでありますので、極めて限定的なケースになる」と答弁していた。しかし、高額の改造工事を行った

再稼働原発について電力各社は運転延長を前提としており、議論なきまま「例外」ではなくなろうとしている。

　資源エネルギー庁は、新エネルギー基本計画（第6次）の議論を行っている総合資源エネルギー調査会基本政策分科会に、原子力について「2050年には、再エネ、水素・アンモニア以外のカーボンフリー電源として、化石＋CCUS／カーボンリサイクルと併せて約3～4割を賄うことを今後議論を深めて行くにあたっての参考値としてはどうか」との提案を行っている（2020年12月21日）が、2050年という目標年次を考えると老朽原発の運転延長だけでなく新増設にも余地を残すこのような提案は容認できない。

⑵「安全確保が大前提」は遵守されているか

　再稼働に当たっては「安全確保が大前提」とされ、新規制基準に合格して安全性が確認されたもののみ再稼働することが基本方針とされてきた。新規制基準の柱は、従来の安全規制が多重防護の第3層までで第4層のシビアアクシデント対策を求めていなかったことを是正したものにすぎず、絶対的な安全を保障するものではない。原子力規制員会の田中前委員長が審査に合格した原発について「安全とは申し上げない」と繰り返し述べていたことはよく知られている。

　その規制委の審査のあり方について、厳しい批判を行ったのが大阪地裁の大飯3・4号炉設置許可取り消し判決である。地震動審査ガイドの振動特性パラメータ設定の条項に、福島事故後に「経験式は平均値としての地震規模を与えるものであることから、経験式が有するばらつきも考慮されている必要がある」と追加されているにもかかわらず、規制委がばらつきの審査を行っていなかったことから、「原子力規制委員会の調査審議及び判断の過程には、看過し難い過誤欠落がある」と指弾、設置許可は取り消された。審査の過程

でやっていないことをやったことにすることはできず、論理的には判決を覆す材料がないにもかかわらず、規制委は誤りを認めずに控訴し、審査ガイドそのものを改悪しようとしている。ばらつきの検討、審査漏れは大飯3・4号炉だけでなく、全ての審査に共通である。規制委は、自らの誤りを認めて、新規制基準適合審査をすべてやり直すべきであり、それまでの間、運転停止を命ずるべきだ。

　規制委は、福島事故を踏まえて導入されたバックフィット制度においても、安全性を軽視した方針を示している。バックフィット制度とは、最新の技術的知見を基準に取り入れて稼働中の原発にも基準適合を義務づけるものだ。規制委は、高浜原発に影響を及ぼす可能性のある大山火山（鳥取県）の噴火規模が、新規制基準適合審査で認定された5㎦ではなく11㎦であると認定してバックフィット命令を2019年6月19日に出したにもかかわらず、是正までの期限を設定せず、その間の運転停止も求めていない。その検討の過程で、規制委が2018年12月6日に秘密会合を持って、基準不適合が明確になっても運転停止を命ずることを回避するにはどうすればよいか検討していたことが毎日新聞のスクープにより明らかになっている。

　こうした規制委の一連の姿勢は、国会の東京電力福島原子力発電所事故調査委員会が「規制当局は電力事業者の『虜』となっていた」と批判した福島事故以前の規制体制に回帰したものと言わざるを得ず、「安全性が確認されたもののみ再稼働」という方針はないがしろにされている。

(3) 深層防護第5層の審査のあり方は

　再稼働に当たっては、その立地地域の広域避難計画を取りまとめた「○○地域の緊急時対応」を内閣の原子力防災会議で「具体的かつ合理的なものとなっている」と確認することが慣例となっている。しかし、その実態は、内閣府原子力災害対策担当室と関係都道府県、市町

村で取りまとめた計画を「自画自賛」しているに過ぎず、防災計画の実効性には疑問が残るまま、再稼働が行われている。防災計画の不備を理由に東海第二原発の運転差止めを認めた水戸地裁判決（2021年3月18日）は、このような現状に警鐘を鳴らすものと捉えるべきだ。

　深層防護第5層にあたる原子力防災は、新規制基準に含まれず規制委も審査しないため、地域住民の不安は大きい。ちなみに各地の避難計画の実効性に問題があるのは規制委が定めた原子力災害対策指針に根源があり、規制委には審査の資格はない。

　アメリカでは、電力会社が建設許可や運転認可を申請するときに、原子力規制委員会（NRC）が定めた区域内の州政府・地方自治体のオフサイト緊急時計画を添付することが義務づけられており、この計画を連邦緊急事態管理庁（FEMA）が判断基準に照らして評価し、NRCに伝える。NRCはオンサイトとオフサイトの両方で適切な防護措置が講じられる保証が示されない限り、運転認可を与えないことになっている。

　企業等に不祥事が発生した時には第三者委員会が検証を行うようになっており、原子力防災でも行政や原子力事業者から独立した有識者や地域住民が、原子力防災の実効性を検証する制度の創設を行うべきである。

⑷ 再稼働の地元合意

　原子炉等規制法など原子力関連法規では安全規制の権限は国に一元化されている。このため自治体は原子力事業者と契約にあたる安全協定を締結し、再稼働時の協議や事前了解について取り決めてきた。しかし、電力会社側は立地自治体には認める事前了解権を隣接、隣々接自治体には認めてこなかった。原子力災害が極めて広範囲に影響を及ぼすことが福島事故で明らかになったことから、原子力災害対策指針で「緊急時防護措置を準備する区域」とされた30キロ

圏はもちろん、その外側の自治体からも立地自治体と同様に事前了解権を求める声が上がったのは当然と言える。

　東海第二原発の立地する東海村と周辺5市が日本原電と2018年3月29日に締結した協定では隣接、隣々接自治体にも事前了解権が明記されている。新規制基準に合格した東海第二原発の改造工事を日本原電は、協定締結自治体の了解を得ずに進めており、今後の動向が注目される。

3．プルトニウム利用

⑴ 高速炉開発計画

　現行エネルギー基本計画には、「プルトニウム保有量の削減に取り組む」と記されている。プルトニウム利用の問題は、破綻している原子力政策の最たるものだ。

　使用済燃料からプルトニウムを取り出して利用しようという核燃料サイクル政策は、そもそも高速増殖炉でのプルトニウム利用を前提としていた。しかし、実験炉、原型炉、実証炉、実用炉と進む開発の第二段階の原型炉にあたるもんじゅは2016年12月に廃炉が決まり、開発が断念された。2018年12月に今後の高速炉開発方針を示した「高速炉戦略ロードマップ」が原子力関係閣僚会議で決定されたが、プルトニウムを増やす必要がないことから「増殖」の文字が消えた。ロードマップは「高速炉の本格的利用が期待されるタイミングは21世紀後半のいずれかのタイミングとなる可能性がある」としていて、しばらくの間必要でないと認めている。当面5年間程度とされる第1ステップは「民間によるイノベーションの活用による多様な技術間競争を促進」、2024年以降の第2ステップで「採用する可能性のある技術の絞り込みを実施」、第3ステップで「関係者の理解が共通化されたタイミングで、現実的なスケールの高速炉の

運転開始に向けた工程を検討する」という内容だ。結局、高速炉開発を断念せず年間 40 億円程度の国家予算をつけ続け、核燃料サイクル政策の見直しを行わないことの口実に使われているに過ぎない。

　原子力委員会は、ロードマップに対して「技術的に成立しても、全体の発電コストが高いと、電力競争環境では、商業利用は困難である」との見解を示している。もんじゅ廃炉時に日本が期待を寄せ、連携を首脳合意していた高速実証炉「ASTRID」計画をフランスは凍結した。日本も技術的、経済的に見込みのない高速炉開発を早期に断念すべきである。

⑵ プルトニウム需給

　原子力委員会は、2018 年 7 月 31 日、「我が国におけるプルトニウム利用の基本的な考え方」を改定し、「利用目的のないプルトニウムは持たない」という原則を堅持するとしている。日本の持つプルトニウムの量は 2019 年末で約 45.5 トン、原爆約 6000 発分に相当するが、高速炉開発がとん挫したため本来の利用目的は失われている。

　現状、唯一のプルトニウム削減策は軽水炉でのプルサーマルであるが、再稼働しているプルサーマル導入炉は高浜 3・4、伊方 3、玄海 3 の 4 基のみ。資源エネルギー庁は、プルサーマルを予定する 6 基（泊 3 号炉、浜岡 4 号炉、島根 2 号炉、東海第二、敦賀 2 号炉、大間）で、新規制基準への適合審査中と説明するが、大半は活断層等の問題を抱えており、稼働できる見込みのない原発が大半だ。これまでのプルサーマル計画は、1997 年の原子力委員会決定で実施を求められた「2010 年までに 16 ～ 18 基での実施」の実現時期を先送りしたものであったが、電気事業連合会は、2020 年 12 月 17 日に「2030 年度までに、少なくとも 12 基の原子炉でプルサーマルの実施を目指す」と下方修正を行った。しかし、この数字も実現の見

込みがないものと言える。

　軽水炉で炉心の1/3をMOX燃料にした場合のプルトニウム消費量は約0.4トン／年、全炉心にMOX燃料を装荷した場合の大間原発の消費量が約1.1トン／年とされているので、仮に12基でプルサーマルを実施したとしても年間消費量は5トン程度にしかならない。一方、六ヶ所再処理工場が仮にフル稼働すれば、年間7〜8トンものプルトニウムが分離される。このため、原子力委員会の「基本的な考え方」では「プルサーマルの着実な実施に必要な量だけ再処理が実施されるよう認可を行う」とされている。しかし、そもそも本来の高速炉での利用が出来なくなった段階で、再処理でプルトニウムを取り出す意味自体が失われていると言わざるを得ない。

　アメリカは核爆弾解体によって生じたプルトニウムに成分秘密の化学物質を混ぜたうえで、世界で唯一稼動している地層処分場である核廃棄物隔離試験施設（WIPP）で処分を行っている。プルトニウムがもはや資源ではなく、処分対象の放射性物質であることを示している。

　国は1997年に余剰プルトニウムを持たないと国際的に宣言した時から保有量を倍増させてきた総括をまず行うべきである。その上で、危険なプルサーマルに頼らないプルトニウム削減策の研究、検討を行い、広く公論形成の議論に付すべきである。

⑶　六ヶ所再処理工場

　六ヶ所再処理工場は昨年（2020年）7月29日に新規制基準に合格し、設計及び工事の方法の認可申請書が12月24日に出されている。操業開始はこれまで25回延期されてきたが、2022年上期竣工とされていて、これを許さない取組みが求められる。

　原発1年分の放射能を1日で放出するとされる再処理工場がもたらす周辺環境の汚染は深刻だ。再処理で発生した放射性のガスや廃

液は、一部は処理されるものの、放射能の種類によってはそのまま希釈されるだけで放出される。半減期が1570万年あるヨウ素129はアクティブ試験開始後の3年間で、大気へ7億4000万Bq、海へ5億5000万Bq放出された。その結果、六ヶ所村民（農業）の日常食から2008年8月に115μBq／日・人というそれまでの値の30倍の値が（財）環境科学技術研究所の調査で検出されている。本格操業後の放出予定量は、大気へ110億Bq／年、海へ430億Bq／年とされており、アクティブ試験3年間の値の約15倍と約78倍が1年で放出されることになる。海へ放出された放射能は親潮に乗って豊かな三陸沖の漁場を汚染することが懸念される。まさに食卓は放射能汚染の危機にさらされている。

　民主党政権時代に策定されたエネルギー環境戦略（2012年9月決

定）では、2030年代に原発稼働ゼロを打ち出しながら、「引き続き再処理事業に取り組みながら、青森県や国際社会とコミュニケーションを図りながら議論する」と再処理の中止を打ち出していなかった。これは、日本原燃との覚書で「再処理事業の確実な実施が著しく困難になった場合は、県、六ヶ所村と事業者が協議のうえ、事業者は施設外搬出も含めて速やかな措置をとる」としている青森県の意向に配慮した結果と考えられる。これまで国策に協力してきた青森県に負担を押し付けない条件を整えて再処理事業を中止する必要がある。

4．バックエンド対策

(1) 使用済核燃料対策

　英仏との再処理契約が終了し、六ヶ所再処理工場の操業開始が繰り返し延期されたため使用済核燃料の保管量が増大している。六ヶ所再処理工場の受入れプール（容量3,000tU）にはすでに2,968tUの使用済燃料が搬入されており、今後の操業がプルトニウム余剰問題などで不透明であることから、多くの受け入れができるとは考えられない。

　国は、2015年に「使用済燃料対策に関するアクションプラン」を定めるとともに、電力会社に「使用済燃料対策推進計画」策定を要請し、電気事業連合会は2020年頃に4,000tU程度、2030年頃にさらに2,000tU程度の保管能力増を行うと応じた。その後、玄海原発でのリラッキング（290tU）、浜岡、伊方、玄海各原発での敷地内乾式貯蔵（それぞれ400tU、500tU、440tU）とむつ市における中間貯蔵施設（3,000tU）の計画が進められているが、いずれも供用には至っていない。

　原発の再稼働の状況と照らし合わせると最もひっ迫しているのが

図1　使用済燃料貯蔵量（2020年3月末現在）

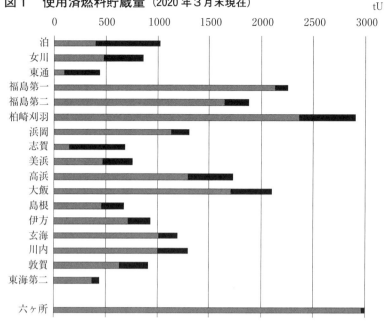

■管理容量　■貯蔵量

出典：電気事業連合会資料および日本原燃㈱資料より筆者作成

関西電力である。関電が2015年に策定した使用済燃料対策推進計画では、2020年頃に計画地点を確定し、2030年頃に2,000トンU規模で操業開始するとされていた。2017年に大飯3・4号炉の再稼働の条件として福井県外の中間貯蔵施設候補地を2018年中に示すと約束しながら果たせず、2度目の期限である2020年末を迎えた。今度は40年を超えて運転許可を得た美浜3号炉、高浜1・2号炉の再稼働に関する地元同意議論の前提条件であると福井県知事に迫られるも独自で候補地を提示することはできなかった。このため東京電力と日本原電が出資するむつ市の中間貯蔵施設を電力各社の共同利用とする検討に着手すると電事連が表明し、関電の救済に乗り出した。資源エネルギー庁長官が同席し梶山経産大臣がオンラ

イン参加する県知事面談で関電社長はむつの中間貯蔵施設について「選択肢の一つ」と表明したが、「青森県やむつ市は核のごみ捨て場ではない。集まったときに出口はあるのか」とむつ市長が猛反発しており、了解が得られるめどはない。むつ市の中間貯蔵の期間は50年と説明されており、50年後に搬出できる再処理工場がある保障はないので、中間貯蔵施設自体が原子力政策の矛盾を先送りするものにすぎない。

　使用済燃料は、将来的にはプール保管よりも乾式貯蔵のほうがリスクは低くなると考えられるが、現状の保管容量の増強は原発再稼働の条件整備にほかならない。まずは再稼働を断念したうえで、使用済燃料の総量を確定させて、安全で負担が公平な保管方法を検討すべきである。

⑵ 廃棄物の最終処分

　高レベル放射性廃棄物処分場の候補地について、2020年は動きがあった。原子力発電環境整備機構（以下 NUMO）が、2002年から公募を行ってきたが、高知県東洋町長が2007年に独断で応募して撤回になった騒動以降に応募に応じる自治体はなかった。このため2017年に国が「科学的特性マップ」を示してテコ入れを続けてきた。

　北海道寿都町長が昨年（2020年）10月9日に NUMO に応募書類を提出。神恵内村でも商工会が応募検討を求める請願を村議会に提出し、採択の翌日に国が申し入れを行って村長が受諾。立地調査の第1段階である文献調査が11月17日から両町村で始まった。いずれも話が出てからの短期間で町村長による決定が行われ、住民による熟議と合意に基づくものとは言えない。一方、国は、文献調査の2年間に最大20億円とされている交付金によって、ともかく調査の実績を作ればいいという姿勢にも見える。

　公募されている処分場には、再処理後に生じる高レベル放射性廃

液をガラスで固めた固化体約4万本を埋設するとされているが、この規模のガラス固化体が生じる再処理を行えばプルトニウムが今の保有量よりも一桁多い400〜500トン抽出されることになる。そのようなプルトニウム需要などあるはずがなく、4万本ものガラス固化体が製造されることはあり得ない。机上の空論による処分場計画で、公募が続けられている罪は重い。

　地層処分の技術的な問題点の指摘は別の機会に譲るが、少なくとも変動帯に属する日本に安全な地層が存在するとの説明にコンセンサスは得られていない。「超長期にわたる安全性と危険性の問題に対処するに当たっての現時点での科学的知見の限界を認識すべき」とした、2012年の日本学術会議の提言を再確認すべきである。

5. 廃炉対策

　今後、多くの原発の廃炉が問題となる。日本は運転終了後5〜10年程度の後に解体撤去を始める方針である。しかし、早期に解体作業を行えば労働者被曝が避けられない。また、大量に発生する放射性廃棄物はそのレベルに応じて処分される計画であるが、先行して解体作業が行われている東海原発では、レベルの低いものは敷地内トレンチ処分が計画されたものの、よりレベルの高いピット処分、中深度処分はめどが立たず、廃棄物の保管対応のため工事が行き詰まっている。

　廃炉解体工事は水中解体や遠隔操作など高度な技術を駆使する必要があり、大手原子力関連事業者が担うことになる。原発立地地域に廃炉ビジネスが育つというのは幻想にすぎない。これまで国策に翻弄されてきた立地地域が経済的に自立できるような支援策を提示し、早期の廃炉判断を後押しすることが望まれる。

【コラム】東京電力福島第一原発事故の処理費用・賠償費用の負担は誰が？

　2011年の東京電力福島第一原発事故をうけて、原子力政策が事実上破綻する中、それでも原子力を主要なエネルギー源と位置付ける国は、様々な延命策を提供してきた。

　第一に事故当事者である東京電力の救済策である。東京電力福島第一原発事故の処理費用・賠償費用は2016年12月段階で21.5兆円と見積もられた（表1）。しかし、この総額を東京電力が負担するわけではない。廃炉・汚染水対策の8兆円についても、そのおよそ3分の1は自由化後も地域独占が認められている送配電会社である東電パワーグリッドの「合理化分」から捻出されることとなっている。しかし、独占が認められているのであるから、本来であれば国民負担を低減する観点から、この合理化は福島第一原発事故があろうがなかろうが実施されなければならなかったはずのものだ。そして、そうして捻出された利益は託送料金の値下げ、もしくは送配電網の整備に充てられるべき資金である。

　賠償費用7.9兆円は、一部は東電と大手電力が一般負担金、特別負担金という形で、残りは託送料金に上乗せして回収される。また一般負担金については小売原価に算入することが認められているため、実質的な負担は大幅に軽減されている。そのうえ、2020年10月から40年間、託送料金に載せて回収されている2.4兆円分は、原発を用いていない新電力の顧客も負担している。これは、本来電気料金に上乗せしているべきだった費用を上乗せしてこなかったため、過去、原発からの電気を利用してきた消費者にも負担してもらおうという理屈である。使用済燃料再処理費用等既発電費等と呼ばれるこの費用は、2005年の電力一部自由化にともない旧一般電

気事業者から特定規模電気事業者（PPS）に切り替えた顧客からも、それまでに発生した使用済み燃料の再処理にともなう費用を回収するとして、2005年から15年間で合計2.7兆円を託送料金に加算して回収してきた。一般負担金の託送回収が始まった2020年10月の託送料金改定時に、加算を終了した。丁度2つの過去分が入れ替わったことになる。一般の商取引ではあり得ないやり方だが、原発では再処理費用の過去分を託送で回収したという前例がある。原発がいかに国から支援を受けてきたかを示す好例である。

　事故処理費用と賠償費用は曲がりなりにも電力会社が負担することとなっているが、除染費用4兆円と中間貯蔵施設1.6兆円に関しては国が負担することとなっている。このうち除染費用の4兆円については、事故当初に国が東電に1兆円出資して得た株式の売却益でまかなうこととされている。5兆円の売却収入を得るためには、単純計算で東電の株式は1500円になっている必要がある。東電の上場来高値は1987年の9140円、ここ20年での高値は2007年の4530円だが、当時の発行済み株式数は13億株だったので、優先株転換後の株式数を約50億株と考えると、380％程度希薄化することになる。つまり、1500円以上とは事故前の5700円以上と同等であることになる。現在の株価は380円（2021年3月9日現在）であり、ここから1500円まで上昇することの困難さがわかる。

　そこで、表1に東電の実質負担と国民の実質負担を併記した。国民実質負担が幅のある数字となっているのは、株式売却益で捻出することになっている4兆円分がどうなるか不明なためだ。実際には国民は、東電よりはるかに多くの事故処理費用の負担を強いられることになっている。なお、ここには、交付国債に必要な利子が含まれておらず、これを勘案すれば、国民はさらに多くを負担することになる。

（松久保　肇）

表 1　東電福島第一原発事故の費用負担

		廃炉・汚染水	賠償	除染	中間貯蔵	総額	東電実質負担[※1]	国民実質負担[※2]
金額		8兆円	7.9兆	4兆円	1.6兆円	21.5兆円	6.7兆円	10.7 ～ 14.7兆円
			交付国債枠：13.5兆円					
負担者	東電	8兆円（毎年約3000億円を廃炉等積立金に積立予定、うち約3分の1は託送収益から捻出）	2.7兆円（一部小売原価算入）	4兆円（国が出資した1兆円の株式売却益を想定）		14.7兆円		
	大手電力		2.7兆円（全額小売原価算入可、ただし一部事業者は未算入）			2.7兆円		
	託送回収		2.4兆			2.4兆		
	国				1.6兆円	1.6兆円		

※1　廃炉・汚染水の8兆円について、毎年3000億円を積み立て、その内2000億円を託送以外の収益で回収した想定で計算。また賠償の2.7兆円については、過去の一般負担金・特別負担金の支払い状況から、年1000億円を支払い、内500億円を特別負担金（小売原価算入対象外）として計算した。

※2　東電負担分について、廃炉・汚染水の8兆円については、毎年3000億円を積み立て、その内1000億円を託送収益で回収した想定で計算。また賠償の2.7兆円については、過去の一般負担金・特別負担金の支払い状況から、年1000億円を支払い、内500億円を一般負担金（小売原価参入対象）として計算した。また、除染の4兆円については株式売却益がなかった場合を考慮した。

東京電力改革・1F問題委員会資料「福島事故及びこれに関連する確保すべき資金の全体像と東電と国の役割分担」をもとに作成。
https://www.meti.go.jp/committee/kenkyukai/energy_environment/touden_1f/pdf/006_s01_00.pdf

【コラム】原発支援策としての賠償制度見直し

　東電福島第一原発事故で明らかになったのは、過酷事故発生時の被害の甚大さと、それに対する損害賠償制度の貧弱さであった。日本の原子力損害賠償制度において保障されていた賠償措置額は1,200億円のみと、必要な賠償額には全く不足しており、結果、資金不足から被害の迅速な救済ができなかった。そこで2018年には国の資金貸付制度をつくり、賠償の迅速化を図る一方で、本来行うべきであった賠償措置額の引き上げは見送ることとした。これは、賠償スキームの柱の一つである原子力賠償責任保険契約を引き受けている原子力保険プールが、これ以上の引き受けは困難であると表明したからだ。なお、原子力保険プールはほかに原子力財産保険を引き受けており、総額ではおよそ3,000億円のリスクを引き受けている[1]。その後、賠償措置額の引き上げについては文部科学省で検討されることとなっているが、検討されている様子はない。

　なお、原子力損害に関連して、東電は2010年に原子力財産保険を解約していたことが明らかとなっている[2]。解約の主な理由は2007年の中越沖地震で被災した柏崎刈羽原発の設備損害について、保険金が支払われなかったことだった。仮に、保険を継続していたとしても、今回の福島第一原発事故で保険金の支払いはなかったが、

....
1）原子力委員会，2015，第5回原子力損害賠償制度専門部会議事録（2015年12月9日），32頁　「我々お引き受けさせていただいているのは、この1,200億円の賠償リスクに加えて実は建物、原子炉と言ったいわゆるものの保険もお引き受けさせていただいております。したがって、トータルのリスクで考えれば3,000億円強のキャパシティを御用意させていただいているという状況でございます。」http://www.aec.go.jp/jicst/NC/senmon/songai/siryo05/gijiroku.pdf（2020年5月10日参照）
2）佐藤章，2011，「福島原発『無保険』だった」『AERA』朝日新聞出版，2011年9月26日号：17-19頁．

原子力損害賠償責任保険契約においても天災による事故は、保険金支払いの免責事由にあたる。そのため、別途、国が原子力損害賠償補償契約を原子力事業者と締結して、天災時の支払を保障している。

原子力保険プールの引き上げが困難なのであれば、原子力財産保険の加入義務化と国による補償契約制度の策定によって、保障の幅を拡大することは可能なはずだ。しかし、こうした提案は、2018年当時の議論を見る限り行われていない。

なお、政府はこれに加えて、2014年、「原子力損害の補完的な補償に関する条約」（CSC）を批准した。CSC条約は締約国に一定額以上の賠償措置を義務付けるとともに、拠出金制度による補完的補償（最大140億円、うち国内損害分は70億円）を受けることができるようになった。

（松久保　肇）

図1　原子力損害保険の状況

出典：文部科学省資料より筆者作成

2
原子力が地域の重荷となる現実

藤堂 史明

概要

• 原子力産業の立地は地域の経済発展にとって益となることはない。原発の技術的な「安全神話」が崩れた今も、原子力産業の「経済神話」が健在であることは奇異であり、現実に即して改めるべきだ。

1．原子力の立地地域とは何か
―受苦の過小想定、受益の過大想定

　原子力関連事業の立地地域は、狭く解釈すれば事業所が立地する自治体（市町村及びそれを包含する都道府県）となる。この自治体は事業に伴う財政上、経済活動上のメリットの受益圏となると同時に、原子力災害が発生した際、あるいは通常運転時の様々なリスクの受苦圏となる。

　原子力災害の実態を踏まえると、現行の立地自治体となる市町村の範囲は過小と言える。2011年の東電福島第一原発事故の当時、事前に整備された原子力災害対策の想定規模はさらに小さかった。原子力安全委員会が定めた「原子力施設等の防災対策について」に規定されたEPZ：「原子力防災対策を重点的に充実すべき地域の範囲」は10km以内であり、現地原子力災害対策本部が置かれる予定であったオフサイトセンターは20km未満に設置と決められていた。しかし動員可能な車両、避難所の位置、規模共に、10km圏を想定し

た「キーホール型」の避難指示と 30km 圏内への避難の実施体制が、実際に生じた 20km 圏の全周避難と、放射性プルームの飛散方向へ 50km にも及ぶ避難指示範囲とは大きく異なっていたのである。事故後に退避および避難指示の想定区域は PAZ「予防的防護措置を準備する区域」及び UPZ「緊急時防護措置を準備する区域」の 30km 圏に拡大されたが、これも 50km の PPA「プルーム通過時の被ばくを避けるための防護措置を実施する地域」範囲と SPEEDI「緊急時迅速放射能影響予測ネットワークシステム」をはじめとする予測手法による避難誘導を諦めたものとなった。

　原子力災害対策は、放射線への防護がその質的な内容を決定づける。そして、国際放射線防護委員会（ICRP）をはじめとする原子エネルギー利用を進める国際機関の考え方においても、計画被ばく状況では被ばくを伴う行為の正味利益が求められる。このため、原子力発電という計画的な被ばく状況を作りだす原子エネルギー利用とその利益に比して、防護の対策費用が相対的に小さくなるよう、災害対策の範囲、内容を狭める誘因が事業者と政策担当者には生じる。しかし、それらが既に生じた事故の被害範囲を下回る想定では、それは過小想定と言わざるを得ない。

　一方で、原子力立地地域にもたらされる利益については、原子力発電所の立地推進を主目的に 1974 年から整備されてきたいわゆる電源三法[1]により、立地ないし周辺の自治体並びに住民に金銭を交付する制度が存在する。

　さらに、関連産業への波及効果も含めた利益が原発立地の「経済効果」と呼ばれている。

　この「経済効果」は、狭義には特定の経済活動による付加価値生産額の増大を指す。広義には、特定の経済活動によって引き起こさ

1）「電源開発促進税法」「特別会計に関する法律（旧 電源開発促進対策特別会計法）」
　　「発電用施設周辺地域整備法」を指す。

図1 「実際の原発事故と想定されていた汚染及び対策の範囲」

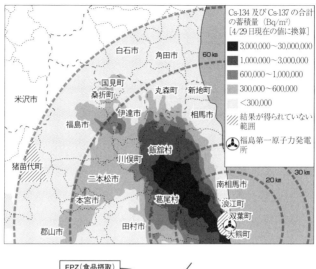

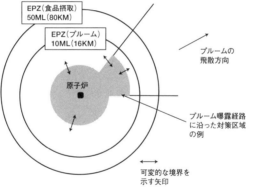

出典：図の上部は国会事故調（2012）、図の下部は NRC/FEMA（1980）より著者作成[2]

....

2）東京電力福島原子力発電所事故調査委員会（国会事故調）（2012）、『国会事故調
　　調査報告書［本編］』、平成 24 年 6 月 28 日。
　　https://warp.da.ndl.go.jp/info:ndljp/pid/3856371/naiic.go.jp/pdf/naiic_honpen_
　　honbun4.pdf 2021 年 2 月 4 日参照。
　　NRC/FEMA（1980）、NUREG-0654 FEMA-REP-1 rev.1, "Criteria for
　　Preparedness and Evaluation of Radiological Emergency Response Plans and
　　Preparedness in Support of Nuclear Power Plants," NRC/FEMA.

れる付加価値生産の増大、雇用増による人口増大（社会増、自然増）、財政構造の改善、地域のイメージアップなど、プラスの経済的価値に関連づけられる様々な波及効果を含む。

　例えば1980年代の理論的研究である五味大典（1983）[3]においては、発電所や関連会社という新たな雇用の場の創出や、地元経済の活性化による雇用機会の拡大と人口の増加、生産性の向上、とりわけ建設業における地元建設業者の純生産の増加を予想している。さらに、固定資産税と電源三法交付金の収入、法人及び個人住民税の増加によって一般財源は膨らみ、財政の自主化が促進されるとしている。

　近年の経済効果に関する研究例では、例えば宇都宮仁（2015）[4]が、柏崎刈羽原子力発電所の事業所としての粗付加価値生産額の大きさ（約2,600億円）から、その波及効果が大きい（2005年市内総生産約4,800億円の約40％）としている。しかし、これらの経済効果は経験的にも想定より小さいことが指摘されてきた。原発が地元経済に貢献しない事情は岡田知弘・川瀬光義（2013）[5]も指摘している。

　このように、原発の立地に伴う受苦圏については、その範囲が想定よりも大きく、損害も大きくなることが判明した反面、受益圏については、大都市圏における電力消費に加えて、立地及び周辺自治体に生じるとされていた利益が過大評価であり、実際には想定よりも小さいのではないか、と認識されてきたと言える。

　次節ではこのような経済的利益の小ささを新潟県柏崎刈羽原発の立地する柏崎市を事例として説明する。

3）五味大典（1983）、「システムダイナミックスモデルによる原子力発電所立地の経済効果分析」、日本立地センター研究年報、191-237頁。
4）宇都宮仁（2015）、「柏崎刈羽原子力発電所停止による柏崎経済への経済効果」、『新潟産業大学経済学部紀要』、第45号、2015年6月、1-12頁。
5）岡田知弘・川瀬光義（2013）、『原発に依存しない地域づくりへの展望』、自治体研究社。

2．新潟県柏崎市における「経済効果」の検証

　まず、自治体財政上の問題点について簡単にチェックする。原発立地自治体の財政は本当に豊かなのだろうか。柏崎市の「平成30年度　財政状況資料集」によると、合併や原発の固定資産価値の低下などにより、支出あたりの財源が逓減し、維持補修費、扶助費は増加している。このため、財政力指数 0.70 は県平均の 0.50 を上回るが、全国類似 90 団体中 46 位で、同平均の 0.74 を下回る。

　また、電源三法交付金を活用して作られた文教、福利厚生施設などの施設維持費等による経常的経費が大きく、経常支出比率は県内平均の 92.6%、全国類似団体平均 91.4% を上回る 94.8%（平成24年97.4% よりは改善だが近年は高止まり）である。以上から、潤沢な財源によって建設された諸施設が、固定的支出を増大させ、長期的には財政状況を悪化させる事情がうかがえる。直接的な交付金をもってしても地域の財政事情は長期低迷にあると言えよう。

　次に、著者が新潟日報と 2015 年から 2016 年にかけて行った共同研究で考察した、東京電力柏崎刈羽原発の立地地域である新潟県柏崎市における周辺産業への長期的な影響についての調査研究について紹介する。この共同研究は、2015 年 12 月及び翌年 2 月の『新潟日報』紙面の特集記事として掲載されたが、その主な内容は以下の通りである[6]。

　「100 社調査」では、地元商工会議所加盟企業から地元企業 100 社を、産業別就労人口を考慮して業種ごとに無作為抽出して聞き取り

6）東京電力柏崎刈羽原発 1 〜 7 号機の存する立地自治体のうち、柏崎市の経験的事実について検証した新潟日報社との共同研究（2016 年 2 月紙面掲載の産業部門別調査）は、新潟日報社が 2015 年 12 月にまとめた「100 社調査」の結果も加味して行った。なお、「100 社調査」の結果は 2015 年 12 月 13 日付の「新潟日報」紙面で、産業別調査の結果は 2016 年 2 月 14 日付の同紙紙面で報道された。

調査を行った。3分の2の企業が、原発全基停止による売り上げの減少について「ない」と回答し、経営面への影響を否定した。1号機が運転を始めてから30年となるが、原発関連の仕事を定期的に受注したことがあると答えた地元企業は1割余りだった。また、30年間で会社の業績や規模が「縮小」したとの回答が4割を超え、原発の存在が地元企業の成長にはつながっていないことも示唆された。

　また産業部門別調査では、まず、対象を柏崎刈羽原発のある新潟県柏崎市とし、その製造、建設、卸売り小売り、サービス業の、

図2　柏崎と類似自治体の産業別時系列比較：製造業生産額

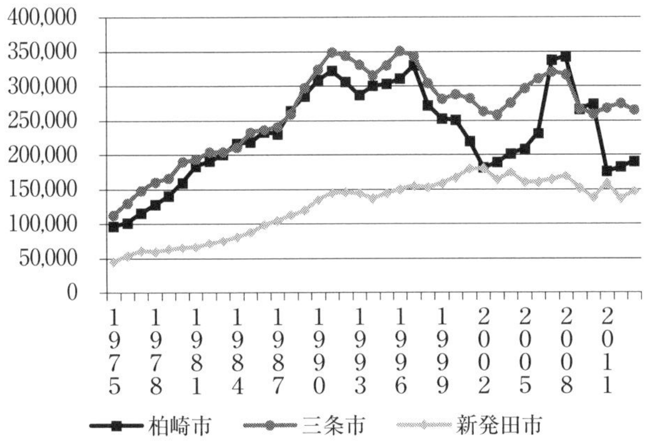

出典：柏崎市『統計年鑑』、新発田市「工業統計調査」、三条市「工業統計調査」、各年版[7]及び新潟日報社資料を基に作成　単位：100万円

....

7）柏崎市『統計年鑑』
http://www.city.kashiwazaki.lg.jp/toke/shise/toke/hakkanbutsu/nenkan/h25nenkan.html　2016年3月1日参照。
新発田市「工業統計調査」
https://www.city.shibata.niigata.jp/download.rbz?cmd=50&cd=575&tg=1
2016年3月1日参照。
三条市「工業統計調査」http://www.city.sanjo.niigata.jp/seisaku/page00024.html　2016年3月1日参照。

1970年代（1978年1号機建設開始）から1990年代（1997年7号機建設完了）を中心とした時系列変化を、同一規模都市（同県三条市、新発田市）または全国の推移と比較した。

その結果、原子力発電所の建設によって大きなプラスの影響が観測されたのは、建設業のみであり、その他の製造業、卸売・小売業、サービス業については、比較対象の新潟県内同規模都市である三条市、新発田市に劣る規模にとどまり、原子力発電所の建設及び運転に伴うプラスの影響は全く見られなかった。これらを産業別に見ていこう。

グラフに見られるように、柏崎市の製造業の生産額や製造品出荷額等は、新発田市とは大きく異なり、製造業の比率が高い三条市と同様の推移を示した。原発建設中の1991年まで順調に伸び、原発が全基完成した後の1998年には大きく下落した。しかし、原発建設の影響を受けた柏崎市固有の変動ではなく、三条市も、柏崎市とほぼ同じ変動をしている。

図3　柏崎市と類似自治体の産業別時系列比較：
建設業生産額

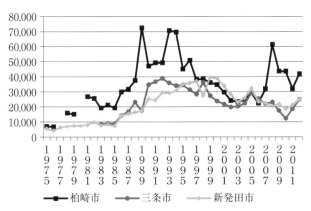

出典：新潟県「市町村民経済計算」各年度版、新潟日報社資料を
基に作成　単位：100万円

また、全国の製造品出荷額等の推移と柏崎市は、生産額の一時的落ち込みがより激しい点以外は、ほぼ同一の動きを示した。そして、この間の地域における大きな地震（中越地震：2004年10月、中越沖地震：2007年7月）はグラフの推移に大きな影響は与えていない。
　建設業について三市を比較したのが以下のグラフである。建設業においては、原発の建設時期に明らかに大きな生産額の増加が見られるとともに、原発の建設終了により生産額が減少している[8]。

図4　柏崎市と類似自治体の産業別時系列比較：卸売・小売業生産額

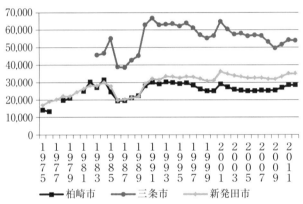

出典：新潟県「市町村民経済計算」各年度版、新潟日報社資料を
　　　基に作成　単位：100万円

　卸売・小売業については、原発の建設時期においては、当初は新発田市と同水準であったが、経済効果が一番大きいと思われる建設期から、卸売・小売業に顕著なプラスの効果は見られない。むしろ建設期においても一定の差がついている。
　サービス業についてデータの推移をみると、比較した三市ともに

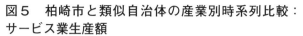

図5　柏崎市と類似自治体の産業別時系列比較：
サービス業生産額

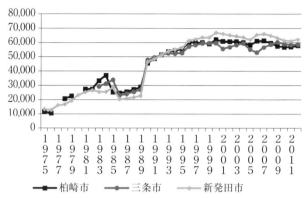

出典：新潟県「市町村民経済計算」各年度版、新潟日報社資料を
　　　基に作成　単位：100万円

増加している。これは同一時期においていずれの市町村においても
第一次・第二次産業から第三次産業への産業構成の推移が見られる
ことと合致しており、サービス業への原発特有の経済効果は読み取
れない。また、原発の建設工事が続き、柏崎市に活気があったはず
の時期、1990年代前半に柏崎市のサービス業生産額は新発田市に
追い抜かれている。

　以上から、経験的データから柏崎市における原発による生産額増
大効果は建設業に原発建設期に顕著にみられる以外は、観察されな
い。このことが先行する「100社調査」でも考察された、予想外に
原発との関係性の薄い地元産業（一部、直接的に関係する業者を除く）
の特徴とも合致する。原発の地元への「経済効果」は「経済神話」
であったのである[9]。

9）分析の詳細については、藤堂史明（2016）、「〈研究ノート〉原子力発電所の経済
　効果はあったのか―柏崎市の事例―」、『経済開発と環境保全の新視点』、第7号、
　2016年3月、55-65頁、及び、新潟日報の特集記事を元に編纂された、新潟日報
　社原発問題特別取材班（2017）、『崩れた原発「経済神話」―柏崎刈羽原発から再
　稼働を問う―』、明石書店、を参照。

3．原発を受け入れても豊かにならないのはなぜか

　以上で見てきたように、原子力発電所の立地による経済効果の実例としての柏崎市については、建設業に関する一時的な生産額増加効果以外には、実測されたプラスの効果はない。したがって、原子力災害による立地地域へのリスクに見合った便益の供与はない。

　このような矛盾は、それが実際には経済効果が薄い「経済神話」であることを考慮すると、リスクに対する便益の提供が不均衡である、影響を受ける人々の同意さえ得ていない問題とも捉えることができる。これは地域、社会階層、時系列をまたぐ受益圏と受苦圏の分離、合意と十分な補償の欠落という問題の一部である。

　なお、建設業の生産額増加効果が、なぜ他部門に波及しないのか。言い換えれば、明らかな生産量増大、所得増大の現象が観察されるにもかかわらず、他部門及び地域全体への経済効果が雲散霧消している理由はなにか。これには公的補助政策による地域振興が失敗する現象と似たメカニズムが存在すると推測される。すなわち、継続的に生産と消費活動を維持し、拡大する産業連関上の関係性が存在しないところに資金を投入して得られた一時的な所得は、他地域に流出しているのではないか。

　このような疑問について、「再生可能エネルギー」の地域産業化についての研究の文脈で興味深い考察が示されている。諸富徹（2019）は、地域の経済循環に寄与するための「地域付加価値創造分析」を提起し、小規模発電事業において事業から得られる収益が、地域の産業や所得水準に還元される指標である「地域付加価値率」が地元出資率に大きく依存することを示した。地元からの出資が実質的に存在しない原発事業において、地域経済に利益が還元されないのは当然である。

4．原発立地自治体への「経済効果」の根本的な矛盾

　原発の立地政策を考える際、「経済効果」は、日常の放射線被曝、事故時の重篤なリスク に対する「迷惑料」あるいはリスクに対応した「ベネフィット（便益）」の供与である。原発立地のリスクについては、原子炉立地指針（1964）[10] の「めやす」では、2.立地審査の指針で「原子炉の周囲は，原子炉からある距離の範囲内は非居住区域であること」また、「ここにいう『ある距離の範囲』としては，重大事故の場合，もし，その距離だけ離れた地点に人がいつづけるならば，その人に放射線障害を与えるかもしれないと判断される距離までの範囲をとるもの」とし、低人口地帯に関して 300 レム（3 Sv）、全身 25 レム（0.25Sv=250mSv）、また、人口密集地帯として 200 万人レム（10 万人の都市に対し 20 レム（200mSv）／人相当）としており、相当高い被ばく線量を想定している 。しかし、東電福島原発事故の予測被曝線量は、これを大きく上回る可能性がある。1 年で 100 ～ 500mSv となる地域が半径 30km を超えて広がっている。

　これらの事から、本来、原発の半径 30 ～ 50km 以内に都市があること自体が原子力災害対策上望ましくない、ということになり、リスクに対応した「ベネフィット」を享受して生産活動の増大、人口の増大などを含めて都市が発展することと矛盾している。東京電力福島第一原発事故は、絶対安全な原発という主張が「安全神話」で

10）原子力委員会 (1964a)、「原子炉立地審査指針」、1964 年 5 月 27 日原子力委員会決定、『原子力委員会月報』第 9 巻第 6 号、1964 年 6 月、
http://www.aec.go.jp/jicst/NC/about/ugoki/geppou/V09/N06/196400V09N06.HTML#menu_top　2016 年 3 月 1 日参照。
原子力委員会 (1964b)、「原子炉立地審査指針およびその適用に関する判断のめやす」、「原子炉立地審査指針およびその適用に関する判断のめやすについて」
http://www.aec.go.jp/jicst/NC/about/hakusho/wp1964/ss1010203.htm　2018 年 8 月 27 日参照。

あることを示した。その結果、原子力災害対策は、従来の過酷事故を想定外の事象として扱うことから、核燃料の溶融は建屋の爆発を含めた重大事故を想定した災害対策へと大きく変化した。皮肉なことに地元への経済効果という「経済神話」は、それが本来なら対として必要としていた「安全神話」が成立しなくなった後も残存し、原子力災害対策の方針とは矛盾した地元への経済効果を謳っているということになる。

5．原子力産業と地域の将来

　以上で見てきたように、原子力産業の立地は地域の経済発展にとって益となることはなく、これまでに挙げられてきた交付金による財源効果、産業連関上の波及効果等は、実際に原発の立地地域において生じた財政支出の硬直化、関連産業への波及効果の小ささなどにより、否定的な評価となる。事例として分析した柏崎市の例だけでなく、全国の原発立地自治体でも同様の問題が指摘されてきた。

　関連分野の研究が示すように、この問題は原子力産業の事業としての原理的な専門性、波及効果の薄さ、そして地元の合意や出資上の問題などに起因している。また、そこには原子力災害の潜在的な壊滅的リスクの一方で、その地元自治体が人口や経済規模の点で発展するという根本的矛盾も存在している。原発の技術的な「安全神話」が崩れた今も、これら「経済神話」が健在であることは奇異であり、現実に即して改めて行くべきと考える。このように考えると、今後の地域経済に貢献する産業のあり方とは、地域に産業上のつながりを持ち、地域での雇用や技術進歩を通じた地域の生活の質の向上へとつながる産業であること、より小規模分散化と情報公開が可能な産業であることが必要とされる。

付記◉

　本稿では原子エネルギー関連産業がもたらす立地地域へのリスク（受苦）と、それに不相応な利益（受益）の関係に着目して執筆した。

　ところで、本プロジェクト全体の提言にある化石燃料系資源からのエネルギーシフトは、エネルギー産業だけでなく、関連の諸産業、とりわけ製造及び流通業に多大な影響をもたらす。1980年代以降、非正規雇用が拡大し、世界規模での資産や所得の格差が広がるなか、これら産業に従事する労働者にもエネルギーシフトに伴うさらなる技術的要求の強化、結果としての労働時間の増大などの悪影響が懸念される。化石燃料を否定するだけの単純化ではなく、持続可能な社会への構造転換に伴う国民各層への受益と受苦の格差の是正に努めるべきである。

3
石炭火力の現状と課題

桃井 貴子

概要

(1) 石炭火力政策を変えたかのような見せかけのポーズをとるのではなく、本気の石炭脱却策を示すべき。

(2) 環境破壊による経済的損失を価格に内部化する炭素税やカーボンプライシングを導入すべき。

1. 気候危機と石炭火力

　今、世界各地で異常気象による大災害が起きている。この1年だけみてもオーストラリアや米国カリフォルニア州などでの大旱魃や山火事、巨大化する台風や集中豪雨による洪水や暴風被害が各地で発生。北極域では観測史上類を見ないような高温が続き、永久凍土が溶けだし、強力な温室効果ガスであるメタンが大気中に放出され、温暖化を加速させている。また、グリーンランドの氷床をはじめ氷河が溶け、海面が上昇していく。海面上昇は海抜が低い島国などを水没させ、生活ができず島を離れざるをえない人たちを増やす。地球温暖化に関連する様々な災害は、遠い世界のことではなく、日本でも深刻化し、毎年のように集中豪雨や洪水の被害に見舞われている。世界的な気候危機である。

　気候変動は人為的起源によるものであることは疑う余地がなく、化石燃料を燃やすことによる CO_2 排出が最大の原因である。IPCC

（気候変動に関する政府間パネル）によれば、現在、人間活動による CO_2 をはじめとする温室効果ガスの排出により地球の平均気温は約1℃上昇し、このまま対策をとらなければ、2100年までに最大4.8℃上昇するとされる。

　2015年12月、気候変動枠組条約第21回締約国会議（COP21）において、パリ協定が採択され、2016年に発効した。パリ協定は、気候の危機を回避するために「世界的な平均気温上昇を産業革命以前に比べて2℃より十分低く保つとともに、1.5℃に抑えるよう努力する」ことが目標とされた。

　2018年、IPCCの「1.5℃特別報告書」では、1.5℃に抑えるためには、世界全体の温室効果ガスの排出量を2010年比で2030年に45％以上削減、2050年に排出を実質ゼロにすることが示された。

2. 世界の潮流は脱石炭

　温室効果ガスの排出源のうち、電力部門は自然エネルギーへの代替が可能で、最も転換しやすく対策をとりやすい分野である。化石燃料（石油、天然ガス、石炭）の中でも、石炭は最も CO_2 を多く排出し、天然ガスの約2倍相当になる。そのため、石炭火力を止め自然エネルギーに転換すれば、電力の供給を維持しつつ効果的に排出量を削減することができる。

　クライメートアナリティクス[1] の分析では、パリ協定の「1.5℃目標」を達成するには、石炭からの CO_2 排出を世界全体で2020年にピークにし、電力部門での石炭利用を2030年までに2010年比で80％まで落とす必要があるとされる。そのためにはOECD諸国で2030年までに石炭火力を全廃し、途上国を含むすべての国の石炭

1）クライメートアナリティクス　https://climateanalytics.org/briefings/coal-phase-out/

火力を 2040 年までに全廃する必要があるという。2020 年以降に新規石炭火力を動かすことも、CO_2 の排出を長期にわたり固定化することから 1.5℃ 目標には整合しない。

　こうした中で、欧州諸国では、石炭火力からの脱却が進んでいる。市民による石炭火力反対運動の高まりや、法制度に基づく CO_2 削減政策、炭素税や排出量取引制度などカーボンプライシングによる効果もある。また金融界においても化石燃料企業からの投資引き揚げや融資中止の方針などが加速化していることも背景にある。

　2017 年の COP23 では、イギリス政府とカナダ政府が脱石炭連盟（PPCA）の発足を発表した。PPCA は石炭火力発電からクリーンエネルギーへの移行を推進するために活動している国および自治体、企業、組織の連合体であり、2021 年 1 月 11 日現在で 34 カ国、35自治体、44 団体が加盟する。PPCA では、新規の石炭火力発電所を建設しないこと、先進国は 2030 年、世界全体では 2050 年に既存の石炭火力をフェーズアウトすること、海外への石炭火力技術の輸出を止めること、パリ協定の 1.5 ～ 2℃ 目標の達成と整合する政策をとることをねらいとしている。現在、先進国の約 6 割が 2030 年までに石炭火力を廃止することを宣言しているのである。

3．国連からの要請

　世界的には脱石炭の動きが加速する一方、現在、各国が表明している NDC（国別削減目標）を足し合わせても、1.5℃ 目標どころか 2℃ 目標も達成できないことが明らかになっている[2]。国連は各国に対して目標の引き上げを促すとともに、特に石炭火力に依存する国に対しては石炭火力からの脱却を求めている。

2）エミッションギャップレポート 2020, https://www.unenvironment.org/emissions-gapreport-2020

2019 年 12 月に行われた COP25 では、国連のグテーレス事務総長が開会挨拶において次のように発言した。「世界のいくつかの地域では、石炭火力発電所が今でも多く計画、建設されている。この石炭中毒をやめなければ、私たちの気候変動対策は間違いなく無駄になるだろう」。日本はこの時、先進国で唯一、国内で多数の石炭火力増設計画を持ち、さらに途上国への石炭火力輸出に対する公的資金の拠出額が中国についで世界第二位だったことなどを背景に、"石炭中毒" の筆頭として国際社会からの批判にさらされた。

　またグテーレス事務総長は、2020 年 9 月 3 日に日本政府の主催で行われた新型コロナウィルスからの復興と気候変動・環境対策に関するオンライン・プラットフォーム閣僚会合においても、「日本が海外の石炭火力発電所に対する融資に終止符を打ち、2050 年までにカーボンニュートラルを達成することを約束し、国内の石炭使用の段階的廃止を早期に進めるとともに、自然エネルギーの割合を大幅に高めることを心から期待している」と、日本の石炭火力に対する早期廃止を促している。

4．石炭火力に依存する日本

　日本では、国内の炭鉱がほぼすべて閉鎖され国内炭がほとんどない中（唯一北海道釧路市の釧路コールマインが生産している）、ほぼすべての石炭燃料をオーストラリアやインドネシアから輸入している。しかし、エネルギー自給率の目標とは別に、エネルギーの自主開発比率（輸入量及び国内生産量に占める、日本企業の権益に関する引取量及び国内生産量の割合）を高めるという方針のもと、結局は輸入だのみの石炭火力を維持・拡大し続けてきた。

　1990 年に 719 億 kWh だった石炭火力による発電電力量は 2000 年には 1732 億 kWh、2010 年には 3199 億 kWh と 4 倍以上に拡大

図1　発電電力量の推移

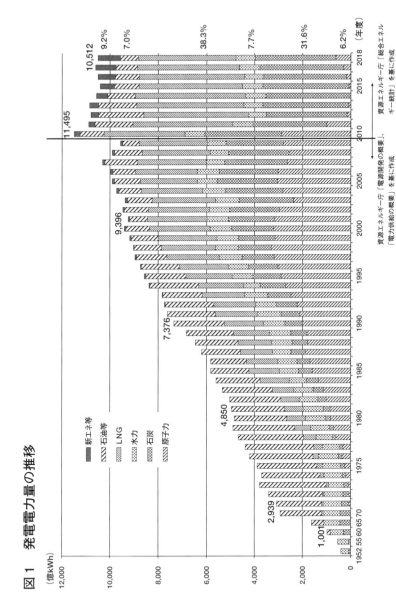

出典：エネルギー白書 2020

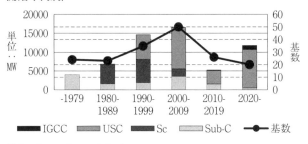

図2 石炭火力発電の基数と設備容量（技術・運転
開始年代別）

出典：Japan Beyond Coal

している。2018 年度現在、発電電力量は 3324 億 kWh で発電電力
量に占める石炭火力の割合は 38.8％を占める。

　日本政府は、1970 年代のオイルショック以降、一貫して石炭火
力の高効率化を推進し、国家プロジェクトとして取り組んできた。
1970 年代には亜臨界圧（Sub-C）、80 年代には超臨界圧（SC）が主流
であった石炭火力の技術は、1990 年代になり超超臨界圧（USC）が
実用化され、日本ではじめて中部電力（現在は JERA）碧南火力（70
万 kW）に導入された。その後、2000 年代には USC の大型石炭火
力を含む石炭火力が各地で相次いで稼働している。

　2000 年代、石炭火力発電所の新設計画はほとんどなかった。実
際にはほとんど進捗しなかったものの、政策的には原発の割合を高
めることが優先されたからだ。しかし東日本大震災以降、原発が停
止したことを受けて 2012 年から 2018 年の間に全国各地で 50 基も
の建設計画が次々と浮上した。このうち現在までに 13 基が計画中
止となったものの、多くは建設に進み、すでに複数が稼働している。
最近では福島で「復興電源」として、石炭ガス化複合発電（IGCC）
がいわき市（勿来）と広野町に建設され、勿来は 2020 年から定格出
力で運転が開始され、広野は 2021 年に運転開始予定とされている。
現在、国内の石炭火力発電所は全部で 162 基 4915.1 万 kW が運転

図3　火力発電所の排出係数

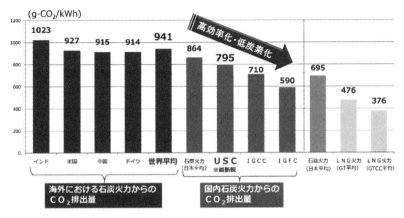

出典：資源エネルギー庁

中であり、建設中・計画中の石炭火力が 16 基・981.8 万 kW にものぼる。

　2015 年のパリ協定採択以降、先進国でこのように石炭火力を増やしてきたのは日本だけである。日本は、USC や IGCC の技術を「クリーンコール」と呼び、「世界最高水準」とうたい推進してきた。安倍政権下では、「高効率火力発電を徹底活用し、エネルギーコストを低減させる」「火力電源の新増設・リプレースを原則入札にして効率性・透明性を高めるとともに、環境アセスメントの明確化・迅速化を図り、民間企業が高効率な火力発電（石炭・LNG）に円滑に投資できる環境を整備する」「先進技術開発を加速し、世界最高水準の効率を有する火力発電を我が国で率先して導入するとともに、世界へ積極的に展開する」ことを成長戦略として位置づけ展開してきた。

　しかし、石炭を燃料にする限り、IGCC でもせいぜい古い石油火力程度にしか CO_2 の排出係数を減らすことはできない。それどころか、効率を高めるために設備容量の規模も大きくなるため、1 基

あたりの設備の規模と排出する CO_2 の総量は増えている。欧米諸国では、IGCC は CO_2 を大量に排出する上、コストも高く、自然エネルギーに対して価格競争力がないことから止めている。つまり、日本が世界最高水準にあるのではなく、石炭から次々脱却していく世界から取り残された状態なのだ。

5．エネルギー基本計画における石炭火力の位置づけ

第5次エネルギー基本計画では、石炭火力について「地政学的リスクが化石燃料の中で最も低く、熱量当たりの単価も化石燃料の中で最も安い」とし、「安定供給性や経済性に優れた重要なベースロード電源」と位置付けている。そして、「今後、高効率化・次世代化を推進するとともに、よりクリーンなガス利用へのシフトと非効率石炭のフェードアウトに取り組むなど、長期を展望した環境負荷の低減を見据えつつ活用していくエネルギー源である」としている。

また、政策の方向性として「低炭素型インフラ輸出」を積極的に推進する」としながら、「①エネルギー安全保障及び経済性の観点から石炭をエネルギー源として選択せざるを得ないような国に限り、②相手国から、我が国の高効率石炭火力発電への要請があった場合には、③ OECD ルールも踏まえつつ、④相手国のエネルギー政策や気候変動対策と整合的な形で、原則、世界最新鋭である超々臨界圧（USC）以上の発電設備について導入を支援する」とした。これがいわゆる「石炭輸出の4要件」である。

2017年に閣議決定した2030年の電源構成（エネルギーミックス）では石炭の割合が26％になる見通しを示したが、電力広域的運営推進機関（OCCTO）が公表した「2020年度供給計画の取りまとめ」では、2029年度の石炭火力が発電電力量全体に占める割合が

対 2019 年度比で約 17% 増加し、電源構成の 37% を占め、政府の 2030 年見通しを大幅に上回ることが明らかになった。

　これは、この間、政府方針の下、石炭火力の新規計画が過剰に増えてきたこと、一方で石炭の燃料価格が安いことを前提に老朽化した石炭火力の廃止計画がほとんど出ていないことに起因すると考えられる。

6．日本の石炭火力政策は転換するのか

　世界の脱石炭の流れに逆行する日本の石炭政策は、国際社会からの大きな批判を浴びてきた。

　2020 年に入りパリ協定の実施期間に入ったが、日本政府は、国際的な批判の目をそらすためなのか石炭火力の方針を転換するかのような発表をする。それが、①非効率石炭火力のフェードアウト、②石炭輸出 4 要件の厳格化、③首相の 2050 年排出ゼロ宣言と石炭政策の見直しである。

⑴ 非効率石炭火力のフェードアウト

　2020 年 7 月 2 日、読売新聞の一面に「石炭火力 100 基休廃止」との記事が大きく掲載された。これまでの石炭政策を大幅に転換するかのような誤解を与える記事である。翌 7 月 3 日、梶山弘志経済産業大臣は、記者会見で「非効率石炭火力のフェードアウト」を発表し、石炭火力を止めていくための規制的措置や誘導的措置を検討するための委員会を設置し議論をスタートするとした。

　しかし、「非効率石炭火力のフェードアウト」は「第 5 次エネルギー基本計画」にも書かれていた内容であり、新規政策ではない。非効率石炭火力としているのは Sub-C や SC で、設備容量が比較的小さいものが多いため、例え 100 基を廃止したとしても、設備容量

で見ると、現在建設中・計画中の石炭火力発電所が稼働すれば現時点と比べても 2030 年に 2 割程度の削減にしかならない。政府の方針としては、石炭火力の「高効率化等を推進しつつ、非効率な老朽石炭火力についてはフェードアウトを図り、新陳代謝を進めていくことが重要」とあらためて打ち出しただけで、第 5 次エネルギー基本計画での内容とかわらない。

「非効率石炭火力のフェードアウト」の具体的な措置については、経済産業省は 2020 年 8 月から石炭火力検討ワーキンググループを設置し、検討をはじめた。しかし、このワーキンググループにおいても関係業界団体からのヒアリングで規制強化に慎重な意見が噴出しており、その結果、現状の事務局案では、現行の省エネ法の発電効率の算定方法を用いた指標を維持するとともにアンモニアや水素混焼の補正措置も加えた形で、事業者に「フェードアウト計画」の策定を求めるというものにとどまっており、非効率石炭火力を 100 基休廃止するという当初のねらいすら大きく後退している状況だ。

しかも、石炭火力の混焼としてアンモニアが有力視されているものの、課題は山積である。特にアンモニアの製造には原料に化石燃料を用いて水素を製造し、その後アンモニアへと合成する方法が主流であるが、水素製造、アンモニア合成ともに莫大なエネルギーを必要とする。それにもかかわらず、CO_2 排出については「技術普及の観点から水素やアンモニアがカーボンフリーかどうかについては問わない」としており、実質的に製造プロセスで CO_2 排出が大きくても見かけ上はゼロとカウントするという本末転倒なことが進められようとしている。

今、気候危機への対応で求められているのは、いわゆる高効率石炭火力も含めたすべての石炭火力発電所の全廃であるにもかかわらず、廃止どころか、老朽火力の削減すら進まず、新規石炭火力発電所の建設が推進される状況は何も変わっていない。

⑵ 石炭輸出４要件の厳格化

2020年7月3日、上記の発表と同じ会見で梶山大臣は、石炭火力の輸出4要件を厳格化することも明言した。石炭火力の輸出の公的支援については、国際社会からとりわけ強い批判を浴びていた。COP25に参加した小泉環境大臣も同会合の記者会見の場で、石炭火力に対する批判を真摯に受け止めるとしていた。

環境省は2020年4月から、小泉進次郎環境大臣のイニシアティブのもとで「石炭火力発電輸出への公的支援に関する有識者ファクト検討会」を設立し、ファクトを整理してきた。一方の経済産業省は、この動きを牽制するかのように「インフラ海外展開懇談会」を設立し、インフラシステム輸出戦略の検討をしている。

その後、同年7月9日に政府がまとめた「インフラ輸出戦略新骨子」では、炭素化への移行方針等が確認できない国へは原則支援しないことを明記した。しかし、例外として高効率案件への支援を継続する方針は変えておらず、いわゆる石炭火力輸出に関する4要件を維持したのである。また、新方針は進行中のプロジェクトについては対象にしておらず、継続して公的資金が投じられることも抜け穴だと環境NGOは指摘している。

⑶ 首相の「2050年排出ゼロ宣言」と「石炭政策の抜本的転換」

2020年10月26日、菅義偉首相が、国会の所信表明演説において、「2050年までに、温室効果ガスの排出を全体としてゼロにする、すなわち2050年カーボンニュートラル、脱炭素社会の実現を目指すこと」を宣言した。また、石炭火力に対する政策を抜本的に転換する方針も併せて示した。

それまでの日本の2050年目標は「80％削減」であり、他国が次々と2050年排出ゼロを表明する中、ようやく日本も公式に2050

年に温室効果ガスの排出をゼロにすると表明したことで気候変動対策のスタート地点に立てたと言える。また、石炭火力に対する政策を抜本的に転換するということに対しても初めての発表であり、その政策動向が注目された。しかし、その後の動向をみるとやはり政府の本気度が問われる内容であることが否めない。

2020年12月25日、内閣官房に設置される成長戦略会議が「2050年カーボンニュートラルに伴うグリーン成長戦略」を発表した。その内容は、全ての電力需要を100%再エネで賄うことは困難とし、CO_2回収を前提とした火力や、水素、アンモニア混焼などの技術の導入拡大路線を追求したものだった。石炭を含む火力については2050年に向けても「火力の利用を最大限追及していく」としている。

また、気温の上昇を1.5℃に抑制するというパリ協定の目標には触れていない。2050年に排出をゼロにするだけではなく、それまでの経路が重要であり、2030年に世界全体で2010年比45%以上の削減する排出経路に見合う削減目標を日本として打ち出せるかが重要である。しかし、現行の政府方針は、2050年のイノベーションに過大に期待し、2030年の温室効果ガス削減目標やエネルギーの構成について大幅な見直しをするという方針も出ていない。

7．まとめ

石炭火力に対する日本政府の方針は、一貫して高効率化して推進するというものであり、「2050年排出ゼロ」を打ち出した今も、再エネシフトの方向は見いだせず、石炭依存の姿勢が変わったとは言えない。現に、首相の所信表明後も、2020年12月には北海道釧路市の釧路火力発電所（11.2万kW・Sub-C）が本格稼働、2020年1月には茨城県東海村の常陸那珂共同火力発電所1号機（65万kW・USC）が営業運転を開始と、石炭火力発電所が軒並み動き出してい

る。

　国際社会の非難を浴びる中、石炭火力政策を変えたかのように見せるポーズをとるだけではなく、本気の石炭脱却を示せるかが「エネルギー基本計画改定」に求められている。

　今後、日本の気候変動政策としてパリ協定の1.5℃目標に整合する措置として必要なのは、これまでのエネルギー多消費産業に偏重する産業構造を見直していくことにある。そのためには、石炭火力など高炭素排出型産業の働き手や地域社会がスムーズに低炭素型の社会に移行できるように考慮した政策が必要である。

　また、日本には地球温暖化対策税が導入されているが、トンあたり289円と極めて税率が低く、温室効果ガスの実質的な削減インセンティブにはなっていない。欧州では、数千円から1万円程度の炭素税を段階的に導入している国もある。日本においても各国で導入されている排出量取引制度や削減効果をもたらす税率を課したカーボンプライシングの導入が不可欠である。

【コラム】電力自由化と電力市場における原発延命策

　東京電力福島第一原発事故後、日本の電力事情は一変した。この間増加の一途をたどってきた電力消費量も市民・企業の省エネ努力の結果、減少に転じた。2016年からは、これまで東京電力などの大手電力からしか買えなかった電気が、新規に参入した電力会社（新電力）からも買えるようになった。多くの消費者が電気の契約を切り替え、新電力の電力市場シェアは16％にまで成長した。

　一方で、電力自由化をうけた新しい状況に対応すると称して立ち上がったこれらの市場だが、特に、容量市場、ベースロード市場、非化石価値取引市場は、原発を保有する原子力事業者に対して強い

追い風として機能する。なぜなら、容量市場では、常時供給可能で、初期投資の回収が完了した電源が有利に取り扱われ、ベースロード市場では、既設未稼働電源の固定費を価格算定に盛り込むことが認められ、非化石価値取引市場では、原発の「非化石」の価値を証書化して取引することを可能にしているからだ。

　これらの新たな電力市場はいずれも原発と石炭火力を中心に据えた現状の電力供給構造を維持するためのものだ。特に問題なのが、旧一般電気事業者（旧一電）の圧倒的な市場支配力に手を付けていない点である。旧一電は日本全体の約8割もの電源を保有、もしくは長期契約で握っている。その一方で旧一電は、容量市場では、電源保有に対価性が認められ、非化石価値取引市場では、規制環境下で国民負担に基づき、安定的に投資を回収してきた水力と原発の非化石価値を享受することになる。いずれも新たな市場導入によってもたらされる棚ぼた利益である。さらに、本来ベースロード電源が切り出されるべきベースロード市場では、それほど厳しい価格規制は行われておらず、旧一電にとって痛みを伴うものとは言えない。このままでは、電力自由化が、旧一電のさらなる寡占化を促すことにつながりかねない。

　また、3つの相互に関連しあったそれぞれ数千億円から1兆円規模に上る巨大かつ複雑な新たな電力市場を官主導でこれほどの短期間に導入すること自体も大きな問題を抱えている。市場参加者である電気事業者や最終的にコストを負担する電力消費者の十分な理解がないままに、これらの市場は導入されつつあるが、こうした市場導入によって、どれほど卸電力市場の価格形成に影響を与えるかについては慎重に検討されたようには見えない。場合によっては、電力価格のかく乱要因ともなりかねない。

　一方で、本来こうした市場の寡占化をけん制すべき電力・ガス取引等監視委員会（電取委）の独立性が極めて低いことが、関西電力

の原発に関連する金品受領問題での業務改善命令発出の過程で明らかになった。これは電取委の法的立場に起因するものだ。電取委は国家行政組織法8条に基づく経産大臣直属の組織であり、一定の報告徴収権限や立ち入り検査権限をもち、事業者に勧告、経産大臣に勧告・建議を行うことはできるが、事業者が勧告に従う義務はなく、経産大臣が尊重する義務もない。また、5人の委員が非常勤である一方で、事務局は経済産業省が担っていることから、ガバナンスには限界がある。福島第一原発事故でも明らかとなった通り、規制と推進には一定の緊張関係がなければならない。最低でも委員の常勤化、専門スタッフの採用、委員会が出した勧告の尊重義務などが必須だ。

　取引の場となっている日本卸電力取引所（JEPX）の市場監視能力や情報公開に向けた姿勢にも疑問がある。たとえば2016年、東京電力EPはスポット市場で限界費用で入札すべきところ、かけ離れた高値で入札していた。これに対して、電取委は業務改善勧告を発したが、JEPXはほとんど説明もなく、高値入札に該当するとは判断できないとして注意勧告にとどめている。JEPXが設置している発電情報公開システム（HJKS）も貧弱な情報量であり、これでは、有利な立場に立つ旧一電の相場操縦が可能となってしまう。2020年12月から1月にかけて、JEPXの市場価格が高騰したが、HJKSへの情報の出し方が適切だったか検証が必要だ。また圧倒的な電源を保有する旧一電が市場に電気を出さなければ、市場の流動性は枯渇し、高騰するのは当然だった。市場への供給量は適切だったのかも検証が必要だ。本来市場は公平で透明な場所でなければならないが、現状では、市場価格が本当に正しい価格なのか疑念を持たれてもしかたがない状況だ。

　評価できる動きもある。とくに注目すべきなのは、電取委の制度設計専門会合で議論されている「卸価格の内外無差別」だ。これま

で旧一電の多くは、小売部門が社外への卸供給などを意思決定していたが、これを発電から得られる利潤を最大化するために、発電側が意思決定を行い、その結果として、電源に対するアクセスの公平性を保つという考え方だ。これは、発電・小売の分離へのハードルが高い状況下では、有効な選択肢といえるだろう。　（松久保　肇）

1

世界と日本の自然エネルギーの現状と展望

松原　弘直

概要

(1)　2030年度の国内での発電電力量の44%を非化石電源（自然エネルギー＋原子力）とすることが目標とされているが、実現不可能な原発比率20%が含まれている。原発ゼロを前提としたうえで、自然エネルギーだけで発電電力量の50%以上とするべき。

(2)　自然エネルギーの大量導入を前提とした電力システムを整備すべき。

(3)　自然エネルギーの導入地域での社会的な合意形成が必要。事業者は法的規制への対応のみならず、事業計画段階から合意形成に取り組むべき。

1．世界の自然エネルギーの現状と展望

(1) 世界の現状

　世界中で自然エネルギーが急成長するなか、すでに主力電源となっている水力発電や風力発電に続き、太陽光発電の導入が世界各国でさらに進んでいる。国際再生可能エネルギー機関（IRENA）が

毎年発行している世界各国の自然エネルギー発電設備の過去10年間のトレンドをまとめたレポート[1]によると、世界全体の自然エネルギーによる発電設備は累積で28億kW（2.8TW）に達し、2020年には1年間で2億6,000万kW導入されて約10％増加した[2]。

　この累積導入量は全世界の発電設備の約3分の1以上にすでに達している。その結果、2020年には世界全体で1年間に導入された発電設備の約80％が自然エネルギーとなっており、火力発電や原子力発電を合わせても6,000万kW程度しか導入されていないことになる。さらに、1年間に導入された自然エネルギーのうち9割近くを太陽光（約1億3,000万kW）および風力発電（約1億1,000万kW）が占めている。世界全体の水力発電の設備容量は約13億kW（1.3TW）に達し、すでに原子力発電（約4億kW）の3倍以上になっている（図1）。風力発電も年間導入量が約1億kW以上で、累積では原発の約2倍近い約7億3,000万kWに達している。太陽光発電は、10年前の2011年には世界全体でわずか7,000万kWだった累積導入量が2020年末には前年から約1億kW以上増加して7億kW以上に達し、10年間で10倍以上になっている。すでに風力発電に続いて太陽光発電の設備容量も2017年末には原子力発電の設備容量を超え、風力と太陽光を合わせた設備容量は2020年末には原発の4倍近い15億kW（1.5TW）を超えてさらに増加している。

　2020年は新型コロナウィルスの影響で世界全体の経済活動が停滞し、一時的に化石燃料の消費量が減少することで温室効果ガスの排出量も減っている[3]。しかし、このコロナ後の回復（リカバリー）の過程において積極的に自然エネルギーを取り入れた「グリーン・

---

1 ）IRENA "Renewable Energy Capacity Statistics 202" http://www.irena.org/
2 ）IRENA プレスリリース" "New renewable energy capacity hit record levels in 2019" http://www.irena.org/
3 ）IEA "Global Energy Review 2020" https://www.iea.org/reports/global-energy-review-2020

図1：世界の自然エネルギー（太陽光および風力）および原子力の発電設備の導入量

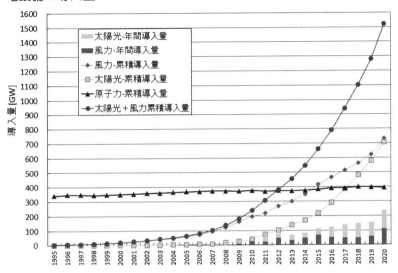

出典：IRENA、BNEF などのデータから作成

リカバリー」が IRENA の行動連合（Coalition for Action）などから提案されている[4]。さらに IRENA 行動連合では、自然エネルギー100% やコミュニティエネルギーに関する提言のレポートもリリースしている。

(2) 欧州

2020 年にスタートしたパリ協定に対して EU 全体では 2030 年までに温室効果ガスを 40% 削減（1990 年比）する気候変動＆エネルギー枠組みを 2014 年に策定し、2030 年までの自然エネルギー割合（最終エネルギー消費）の目標を 32% 以上に、エネルギー効率化の改善目標を 32.5% とする政策決定を 2018 年に行った[5]。EU では、

4) IRENA プレスリリース "IRENA's Coalition for Action Calls for Green Recovery Based on Renewables" http://www.irena.org/

2050 年までに気候中立（Climate-neutral）を目指すため温室効果ガス排出を実質ゼロとすることを宣言しており[6]、2030 年の削減目標についても 55% 以上に引き上げることを決めている。EU 各国は 2021 年以降 2030 年までのエネルギー・気候変動対策計画（NECPs）を策定している[7]。さらに EU 委員会は欧州グリーンディール構想（European Green Deal）を 2019 年 12 月に発表している[8]。デンマークから提出された計画（NECP）では、2030 年までに温室効果ガスを 70% 削減することを政策決定したうえで、自然エネルギーの割合を 2030 年までに最終エネルギー需要の 55% 以上にすることを目標にしている（2018 年の実績は約 36%）。さらに、デンマークでは国連に提出した長期戦略において 2050 年までに温室効果ガス排出ゼロとする気候中立を目指すとしている。

　EU では、気候変動とエネルギーの枠組みに沿って自然エネルギー政策に関しては EU 指令（RED II）が 2018 年 6 月に策定されている[9]。この中で電力部門に比べて自然エネルギーの導入が遅れている熱部門については 2021 年から自然エネルギーの毎年 1.3% 増加を目指すとしている。交通部門については自然エネルギーの割合 14% 以上を目指すとして、その際に使用するバイオ燃料に関する持続可能性が重視されている。電力部門については系統への売電や電力市場での取引に代わって「自家消費」を進めるとしている。

　1990 年代から 2020 年までの欧州各国と日本の年間発電電力量に占める自然エネルギーの割合の推移を比べてみると、欧州各国で

5）EU 委員会 "2030 Climate & Energy Framework"
6）EU 委員会 "2050 long-term strategy"
　　https://ec.europa.eu/clima/policies/strategies/2050_en
7）EU 委員会 "National energy and climate plans（NECPs）"
　　https://ec.europa.eu/energy/topics/energy-strategy/national-energy-climate-plans_en
8）EU 委員会 "A European Green Deal"
9）EU 委員会 "Renewable Energy – Recast to 2030（RED II）"

図2　欧州各国と日本の年間発電電力量に占める自然エネルギー比率の推移

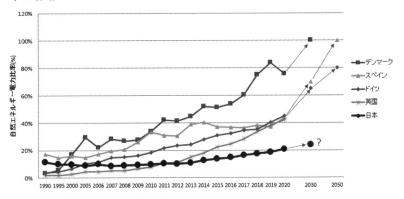

出典：EU 統計データなどより作成

は 2020 年に向けて 1990 年代から着実に自然エネルギーの割合を増やしてきたことがわかる。例えばデンマークでは、2000 年の時点ですでに 17% だったが、2010 年の時点で 30% を超え、2020 年には 75% に達しており、2030 年までには 100% を超えることを目指している（図2）。ドイツは 2000 年には 7％程度だったが、その後、2010 年には 20% 近くにまで増加し、2020 年には 45% に達し、2030 年には 65% 以上、2050 年には 80% 以上を目指している。

　主要な欧州各国の自然エネルギーによる 2020 年の年間発電電力量の割合の内訳を図3に示す[10]。EU27 カ国と英国と合わせた 28 カ国の平均では、自然エネルギーによる年間発電電力量の割合は 38.6% に達し、化石燃料による発電の割合 37.3% を始めて上回った。オーストリアでは、水力発電の割合が 60% 以上あり、風力 10% やバイオマス 6％と合わせて自然エネルギーの割合が 80% 近くに達している。変動する自然エネルギー（風力および太陽光）VRE（再

10）Agora Energiewende "The European Power Sector in 2020" https://www.agoraenergiewende.de/en/

図3　欧州各国および中国・日本の発電電力量に占める自然エネルギー等の割合の比較（2020年）

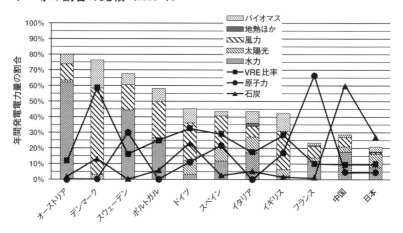

出典：Agora Energiewende, China Energy Potal, 電力調査統計などのデータより ISEP作成

生可能エネルギー）の割合がすでに55%に達しているデンマークでは年間発電電力量に占める自然エネルギーの割合が約76%に達している。スウェーデンでは68%、ポルトガルでは58%に達し、すでにイタリア、ドイツ、イギリス、スペインにおいても自然エネルギーの割合が40%以上に達して、欧州の平均を上回っている。VREの比率も欧州全体で20%に達しているが、ドイツでは30%を超えており、イギリスやスペインも30%近くになっている。一方、原発の比率が70%近くに達するフランスでは自然エネルギーの割合は20%程度と日本と同じレベルで、VRE比率も10%に留まりである。バイオマス発電の割合が高い国としては、デンマークで17%、イギリスで12%程度だが、減少傾向にあり、2030年に向けたEU指令（RED II）では、バイオマスの持続可能性の基準がより厳しくなってきている。

　水力発電に加えて風力や太陽光の導入がこの10年間で急速に進

んだ中国では、2020年には年間発電電力量に占める風力発電の割合が6.1%、太陽光発電が3.4%でVRE比率がすでに9.5%に達している[11]。水力も含めた自然エネルギーの全発電電力量に対する割合は28.5%に達する。この風力発電の割合はすでに原子力発電を上回っている。

⑶ 太陽光発電

太陽光発電の累積導入量では2015年以降、中国が世界第一位となっており、2018年に国レベルの買取制度が中断したにも関わらず、さらに導入が進んでいる。すでに中国が、世界の太陽光発電の年間導入量の3分の1近くを占め、約3,000万kW（30GW）を一年間で導入して累積導入量でも世界第1位である。その結果、2019年末までに中国は累積導入量で2億kW（205GW）を超え、圧倒的な世界第1位となっている（**図4**）。米国の累積導入量については、米国太陽光産業協会（SEIA）からの発表では、2019年末には7,700

図4：国別の太陽光発電の累積導入量のトレンド

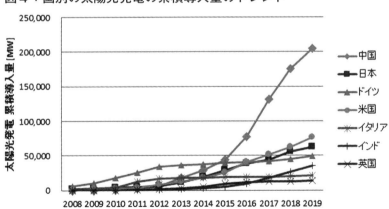

出典：IRENAデータ等よりISEP作成

....

11) China Energy Portal　https://chinaenergyportal.org/en/

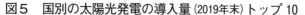

図5　国別の太陽光発電の導入量 (2019年末) トップ 10

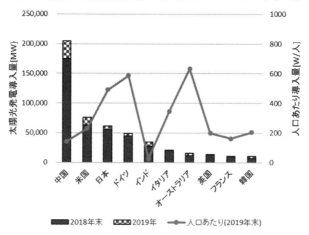

出典:IRENA 等データより ISEP 作成

万 kW'（77GW）になり、世界第2位となっている（IRENA のデータ
では約 6,000 万 kW で第3位）。これに日本が約 6,200 万 kW で続き第
3位（IRENA のデータでは第2位）となっている。ドイツは、2014 年
まで世界1位の累積導入量だったが、2019 年末では約 4,900 万 kW
（49GW）で第4位である。以下、累積導入量が 1,000 万 kW（10GW）
を超える国が 10 カ国（前年は 8 カ国）あり、急成長しているイン
ドが約 3,500 万 kW、イタリアが約 2,000 万 kW、オーストリアが
約 1,600 万 kW、英国が約 1,300 万 kW、フランスが約 1,100 万 kW、
韓国が 1,100 万 kW となっている。世界全体で累積導入量が 200 万
kW（2GW）を超える国は 26 カ国（前年は 21 カ国）に上る。その中
には東アジアで急成長するベトナム（約 570 万 kW）、欧州での新市
場のオランダ（約 670 万 kW）やウクライナ（590 万 kW）も含まれて
いる。さらに、100 万（1GW）を超える国は 2018 年には 30 カ国
だったが、2019 年には 37 カ国へと大幅に増加している。
　年間導入量でみると日本は前年に引き続き約 600 万 kW（6GW）

を 2019 年に新規に導入したが、それに対して米国はその倍の約1,300 万 kW、インドは約 800 万 kW を新規に導入している（**図5**）。世界全体で年間 100 万 kW 以上の太陽光を導入している国は 14 カ国あるが、そのうち 6 カ国（中国、インド、日本、ベトナム、韓国、台湾）がアジアである。なお、1 人当たりの累積導入量では、オーストリアが第 1 位で 600W ／人をすでに導入している。日本はドイツに次ぐ第 3 位で人口 1 人当たり 500W をすでに導入している。

⑷ 風力発電

　風力発電は 2010 年以前には欧州の一部の国（ドイツやスペインなど）や米国が牽引していたが、2010 年以降は中国が風力発電市場を先導しており、欧州各国（英国、フランス、イタリア、トルコ、スウェーデン、ポーランドなど）や他の新興国（インド、ブラジルなど）でも導入が進んでいる。中国での風力発電の年間導入量は 2014 年以降、20GW を超えており、2019 年の年間導入量は約 26GW だった。世界全体の風力発電の年間導入量約 60GW の約 4 割を中国が占めており、日本国内での年間導入量 0.27GW の実に 100 倍近くに達する。中国は 2019 年末には累積導入量が約 210GW と風力発電が 200GWの大台を超えている。いまや中国は世界一の風力発電の導入国であり、ヨーロッパ全体での累積導入量 205GW を上回り、日本国内の累積導入量 3.9GW の 50 倍以上に達している（**図6**）。2019 年末の時点で風力発電は中国内の全発電設備容量の約 10% に達しており、2019 年の風力による年間発電電力量は 406TWh で中国全体の年間発電電力量の 5.5% に達している[13]。中国では自然エネルギーによる年間発電電力量が 2019 年に全発電電力量の 26.4% に達し、その中で風力発電は、火力発電や水力発電に次ぐ第三番の電源としての

13) China Energy Portal "2019 electricity & other energy statistics (preliminary)" https://chinaenergyportal.org/en/

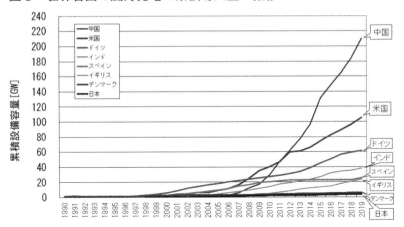

図6　世界各国の風力発電の累積導入量の推移

出典：IRENA, EWEA 等のデータより ISEP 作成

地位を固めて、原子力発電の年間発電電力量の割合 4.8% を超えている。

　風力発電の累積導入量が世界第2位の米国では約9GW が1年間に新規導入され、2019 年末には累積の設備容量が 105GW と 100GW の大台に達した[14]。米国では 2012 年に年間導入量が 13GW を超えたが、優遇税制の停止により 2013 年には年間1GW まで市場が縮小した。その後、回復して 2015 年以降は堅調な市場になっている。全米 41 州で風力発電がすでに導入されており、最も導入が進んでいるテキサス州では 2019 年の1年間で約4GW が導入された。米国では大手企業などが自然エネルギーの電気を調達する契約（PPA）が盛んに結ばれており、2019 年には約9GW 分の契約が結ばれている。風力発電は米国内の総発電電力量の2％以上を占めるまでになっている。

⋯⋯⋯⋯⋯⋯⋯⋯⋯⋯⋯⋯⋯⋯⋯⋯⋯⋯⋯⋯⋯⋯⋯⋯

14）AWEA Blog https://www.aweablog.org/put-books-final-2019-numbers-show-wind-powerrise/

図7　欧州と日本の風力発電の累積導入量（2019年）

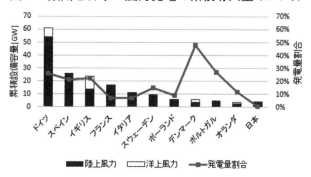

出典）WindEurope 報告書等より作成

　近年注目されている洋上風力発電については、2019年に5.6GWが世界全体で新規導入され、累積導入量では約28GWに達していると推測される（風力全体の約4％）。**図7**に示す通りイギリスでは風力発電の導入が洋上風力を中心に進み、累積導入量24GWのうち洋上風力が世界第1位の10GW導入されている（世界全体の約35%）。2019年には中国で2GWが新規に導入されイギリスを抜いて世界一の洋上風力の市場になっている。欧州ではイギリスで約1.8GWの洋上風車が新規に導入され第2位になり、第3位はドイツの約1.1GWだった。日本国内でも、環境アセス中の洋上風力の案件は2019年末時点で約14GW以上あり[15]、2018年12月には「再エネ海域利用法」が施行され、海域利用のルール整備が進んで、一般海域の促進区域の指定が始まっている[16]。電力系統への接続や様々なインフラの整備に向けて洋上風力発電を取り巻く状況には多くの制度的な課題もあるが、経産省が主導する官民協議会において

2020 年末に洋上風力産業ビジョンが策定され 2040 年までの高い導入目標などが示された[17]。

　一方、日本の新規導入量は約 0.27GW、累積導入量は 3.9GW でようやく 4 GW に近づいた段階である。年間発電電力量に占める風力発電の割合も日本全体の 1 ％ 未満とまだまだ非常に小さい状況である。それに対して、FIT（固定価格買取制度）の事業認定は約 1,000 万 kW（2019 年 9 月末、運転開始を含む）近くに達し、環境アセスメントが手続き中のプロジェクトが約 30GW 以上（2020 年 12 月、JWPA 調べ）あり、今後の風力発電市場の成長が国内でも期待されている。電力系統への接続済みの風力発電の設備はすでに 4 GW を超えており、接続申込み・承諾済みでは約 15GW に達している。これに対して現行のエネルギー基本計画が想定する 2030 年の電源構成では風力発電の導入目標は 1.7％（10GW 相当）とかなり低く、中長期的な導入目標の上方への見直しと共に、環境アセスメントの手続きや電力系統の接続ルール改善や送電網の拡充、新たな電力市場を取り入れた電力システムの改革などが課題となっている。

２．日本国内の自然エネルギーの現状

　日本国内でも太陽光発電を中心に変動する自然エネルギーの割合が地域によっては急速に増加しつつある。2019 年末の時点で日本では約 6,300 万 kW（パネル容量 DC ベース）に達しており[18]、中国、アメリカに次ぐ世界第三位の太陽光発電の導入量（累積設備容量）になっている。系統接続された太陽光発電の設備容量（AC ベース）では FIT 制度による導入状況から 2019 年度末で約 5,600 万 kW と

17）洋上風力の産業競争力強化に向けた官民協議会「洋上風力産業ビジョン」https://www.meti.go.jp/shingikai/energy_environment/yojo_furyoku/index.html
18）REN21 "自然エネルギー世界白書 2020" https://www.isep.or.jp/gsr

図8　日本国内での自然エネルギーおよび原子力の発電電力量の割合のトレンド

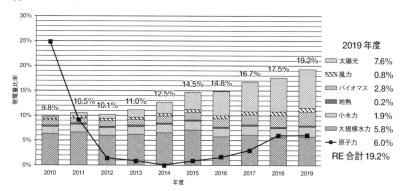

出典）資源エネルギー庁の電力調査統計などから ISEP 作成

なった[19]。そこで、日本国内で自然エネルギーがどれだけ導入されているかを評価するため、年間発電電力量に占める自然エネルギーの割合、FIT 制度で導入された自然エネルギー発電設備の容量、電力システムに対する自然エネルギー電源の導入状況などについて、2019 年度末までの最新データを示す。

⑴ 自然エネルギーの割合

　日本国内での 2019 年度の自然エネルギーによる年間発電電力量の割合を推計したところ前年度から 1.7 ポイント増加して 19.2% となった（図8）。日本国内では 2012 年度まで自然エネルギーの年間発電電力量の割合は約 10% 程度で推移していたが、特に FIT 制度による自然エネルギー発電設備の導入により 2010 年度と比較して2019 度には自然エネルギーの年間発電電力量は約 1.7 倍も増加した。最も増加した自然エネルギーは太陽光発電で、国内の年間発電電力

19) 資源エネルギー庁「固定価格買取制度 情報公表用ウェブサイト」 https://www.fitportal.go.jp/PublicInfoSummary

量の 7.6% に達し、前年度の 6.7% から約 1 ポイント増えている。こ
れは水力発電の割合（7.7%）に匹敵するとともに、エネルギー基本
計画の 2030 年度のエネルギーミックスとして示されている太陽光
発電の導入目標にほぼ達している。その結果、2010 年度と比べる
と太陽光発電の年間発電電力量は 19 倍にもなっており、変動する
自然エネルギー（VRE）の割合は太陽光と風力を合わせて 8.4% と
なった。太陽光以外の自然エネルギー発電（小水力、風力、地熱、バ
イオマス）の年間発電電力量が占める割合についても徐々に増加し
ている。バイオマス発電の割合は 2.8% まで増加して、年間発電電
力量は 2010 年度と比較して 2.4 倍も増加している。海外では一般
的に太陽光発電よりも導入が進んでいる風力発電の割合は、日本で
はようやく 0.8% で年間発電電力量は太陽光発電の約 10 分の 1 にと
どまっているが、2010 年度と比べると 1.9 倍となっている。

　2019 年度の自然エネルギーの発電電力量を月別にみると 2019 年
5 月の割合が最も高く、25.4% に達しており、水力が 9.9% に対し
て太陽光が 11.7% に達している。その結果、2019 年度の変動する
自然エネルギー（VRE）の割合は 12.4% に達する。原子力発電は、
2014 年度の年間発電電力量ゼロから九州、関西、四国での再稼働
が進んだ結果、2018 年度には 6 % まで発電電力量が増えていたが、
2019 年度は微減した。その結果、原発の年間発電電力量は自然エ
ネルギーによる発電電力量の 3 割程度である。

　図 9 に示す通り日本の電源構成においては化石燃料の占める割合
は大きく、2019 年度の年間発電電力量全体の約 4 分の 3 にあたる
74.8% に達するが、その割合は年々減少している。2019 年度の内訳
は天然ガス（LNG）が 35.1% と最も割合が高く減少傾向にはあるが、
石炭は 28.2% を占めており横ばいの傾向である。石炭火力について
は発電設備をフェードアウト（全て廃止）する必要があり、政府（経
産省）によりその検討が始まったが、高効率の石炭火力発電設備が

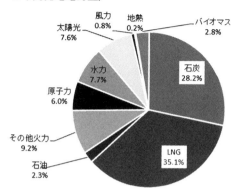

図9　日本国内の電源構成（2019 年度の年間発電電力量）

風力 0.8%
地熱 0.2%
太陽光 7.6%
バイオマス 2.8%
水力 7.7%
石炭 28.2%
原子力 6.0%
その他火力 9.2%
石油 2.3%
LNG 35.1%

出典）資源エネルギー庁「電力調査統計」など
から ISEP が作成

2030 年度以降も残ることになり、長期的にロックインすることが懸念される。パリ協定に整合するエネルギー政策としては、欧州各国のように全ての石炭火力を 2030 年に向けて如何に早くフェードアウトできるかが課題である。

(2) FIT 制度による自然エネルギーの導入状況

　2012 年 7 月にスタートした FIT 制度により事業認定された設備容量は、FIT 制度開始前からの移行認定を含み 2019 年度末までに 1 億 kW 以上になっているが、その内 78% の約 7,900 万 kW が太陽光である（図 10）。しかし実際に運転しているのは約 5,500 万 kW で 2,400 万 kW が未稼働の状況である。特に 1 MW 以上の大規模なメガソーラーの運転開始率が 55% と低くなっている。

　風力発電は 1,100 万 kW 以上が移行認定を含み事業認定されているが、環境アセスメントの手続きや電力系統への接続の問題で 36% にあたる 410 万 kW しか運転を開始していない。一方で、環境アセスメントの手続きを行っている風力発電は、2019 年末の段

図10　FIT制度における設備の事業認定、導入量（運転開始）および未稼働設備（2019年度末）

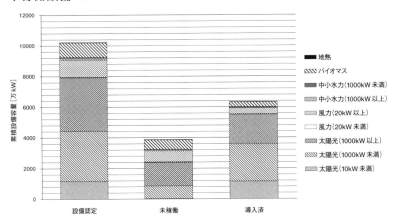

出典）資源エネルギー庁データより ISEP 作成

階で洋上風力も含めて2,900万kWにも達している。中小水力については、事業認定が150万kW程度に留まっており、そのうち72万kWが運転を開始しているが、そのうちのかなりの割合が既存設備のリプレースである。地熱発電は事業認定が10万kWと少ない状況だが、運転開始は8万kWとだいぶ開発が進んできている。バイオマス発電は960万kW以上が事業認定されているが、その7割以上が海外からの木材や農業残さ（椰子殻〔PKS〕やパーム油）を燃料とする設備といわれており、運転開始率も3割程度と低くなっている。海外から輸入するバイオマス燃料をめぐっては特に液体バイオマス（PKS）の持続可能性が問題視されており、持続可能性の基準の設定が進められている[20]。

　年度毎の導入量の推移をみると2014年度が太陽光を中心に1,000万kW近くに達して最も大きかったが、その後に減少に転じて

20)「バイオマス発電の持続可能性に関する共同提言」(2019年7月)
　　https://www.isep.or.jp/archives/library/12006

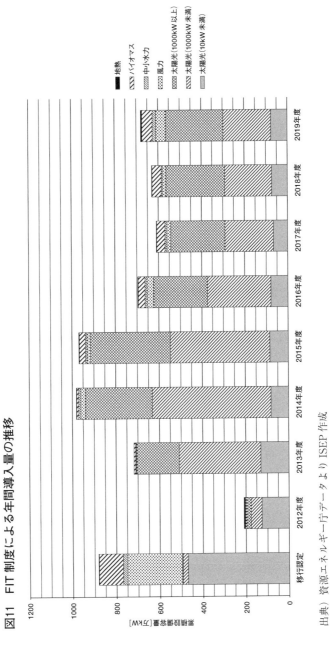

図11 FIT 制度による年間導入量の推移

出典）資源エネルギー庁データより ISEP 作成

凡例：
- 地熱
- バイオマス
- 中小水力
- 風力
- 太陽光 (1000kW 以上)
- 太陽光 (1000kW 未満)
- 太陽光 (10kW 未満)

縦軸：設備容量 [万kW]
横軸：移行認定、2012年度、2013年度、2014年度、2015年度、2016年度、2017年度、2018年度、2019年度

図12　系統へ接続済および接続申込・承諾済の自然エネルギー設備
（2020 年 3 月末）

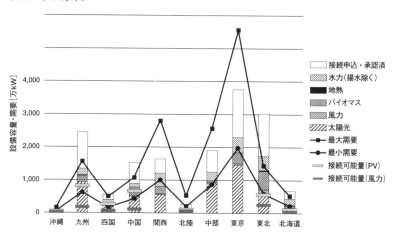

出典）一般送配電事業者のデータより ISEP 作成

図13　電力会社エリア別の電力需要に対する自然エネルギーおよび原子力の割合（2019 年度）

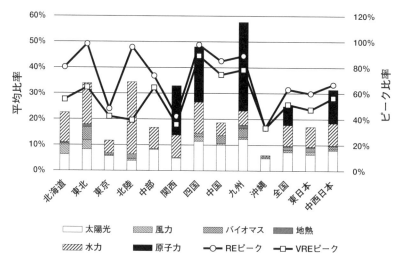

出典）各電力会社の電力需給データより作成

2017 年度からは年間 600 万 kW 程度の導入量となっている（図11）。
事業用太陽光（10kW 以上）については、新規の買取価格も急速に低
下し、大規模な案件に対する入札制度も始まったことから今後も一
定レベル（年間 500 万 kW 程度）まで抑制される傾向になると考えら
れる。一方、これまで導入量が抑えられてきた風力やバイオマスに
ついては年間導入量が増加する傾向があり、風力発電は年間 46 万
kW、バイオマス発電は年間 49 万 kW が導入された。地熱発電も
1 万 kW を超える大型設備の運転開始により年間 5 万 kW が導入
された。

⑶ 電力システムにおける自然エネルギーの状況

　優先給電や出力制御のルール、接続可能量（30 日等出力制御枠）の
制度、グリッドコードの制定、電力系統の調整力など電力システム
の課題が浮き彫りになってきている。すでに FIT 制度に基づく指
定電気事業者制度で接続可能量を定めている九州以外の一般送配電
事業者でも出力抑制量の予測値が公表され、出力抑制の準備が始
まっている。一般送配電事業者エリア毎の自然エネルギーの系統接
続の状況（2020 年 3 月末）を見ると、西日本の 3 エリア（九州、四国、
中国）で接続済の太陽光発電の設備容量が最小需要を上回っている
（図12）。

　さらに接続申込・承諾済の設備を含めると自然エネルギーの設備
容量が最大需要を超えるエリアもあり、自然エネルギーの大量導入
を前提とした電力システムの整備が求められている。

　日本国内の 2019 年度の年間の電力需要に対する自然エネルギー
の比率は 17.9% にまで増加し、太陽光 7.4% および風力 0.9% を合わ
せて VRE の比率も 8.3% に達している（図13）。一般送配電事業者
のエリア別で、九州電力エリアは自然エネルギー比率が 23.4% だっ
たが、太陽光が 12.4%、風力 0.8% で VRE 比率が 13.2% となり、四

国エリアの 13.4% に次いで高くなっている。

　2019 年度に最も自然エネルギー比率が高かったのは北陸電力エリアの 34.2% だったが、水力発電が 27.6% と大きな割合を占めており、VRE 比率は 4.8% と全国で最も低い。東北電力では自然エネルギー比率が 33.8% に達しているが、水力が 15.7% と比較的高い一方、太陽光が 8.5% に達して、風力の割合も 3.5% と高くなっており、VRE 比率は 12.0% に達する。北海電力エリアでは自然エネルギー比率 22.4% に対して太陽光の割合が 6.5% だが、風力の割合が 3.7% と全国で最も高くなっている。東日本全体の年間の平均値では自然エネルギー比率が 16.9% と全国平均を下回っているが、原発の発電電力量がゼロの状況が続いている。その中で、東京電力エリアの自然エネルギー比率は 11.5% に留まっているが、太陽光が 5.9% と水力の 4.6% を上回っている。

　一方、中西日本では北陸電力以外に、四国で自然エネルギー比率が 26.8% に達しているが、VRE 比率が 13.4% と全国で最も高く、水力 12.0% に対して太陽光 11.7%、風力 1.7% となっている。この中で九州電力エリアの VRE 比率は 13.2% と高く、太陽光が全国で最も高い 12.4% に達している（風力は 0.8%）。

　中西日本全体では自然エネルギー比率は 18.7% で、東日本の 16.9% よりも高くなり、VRE の割合も 8.7% と東日本の 7.8% より高くなっている。

　自然エネルギーのピーク時（1 時間値）の電力需要に対する比率が、東北で最大 98.3% に達した。四国でも 97.7%、北陸でも 95.8% に達している。このピーク時の VRE 比率については、四国での 89.2% が最も高く、九州の 78.5% を上回っている。これは、九州エリアでのピーク時の出力抑制のため VRE 比率が抑えられていると考えられ、出力抑制前の VRE 比率では最大 94.8% に達すると推計されている。

3. 日本国内の自然エネルギーの課題と展望

⑴ 持続可能な自然エネルギー

　自然エネルギーを地域で利用する際には、その地域での社会的な合意形成が欠かせない。そのため、地域の資源を利用する自然エネルギー事業においては、その事業の計画の段階からしっかりと合意形成に取り組む必要がある。FIT 制度の下でも 2017 年度から導入された事業認定の制度により、事業計画策定ガイドラインに沿った事業計画が求められている。その際、環境影響評価（環境アセスメント）などの手続きや、騒音や景観など法律として規制は最低限、確実に行う必要があるが、地域での合意形成や土地利用の観点からそれだけでは十分ではない。自然エネルギー事業に対する自治体による条例やガイドラインなどでの規制も必要になってきているが、それらに加えて事業者自らが社会的な合意形成に向けた取り組みを積極的に行うことが求められている。そのため、事業開発の初期段階から協議会や自治体や地域との協議の場を設け、地域が主体となる事業形態（コミュニティパワー）を推進する動きも各地で生まれている。

　その地域の住民や自治体との社会的な合意形成をスムーズに進めるために、長期的な視点でその地域の産業・経済の発展や土地利用のあり方についても考える必要がある。そのため、自治体、地域住民および地域関係者が合意形成を行う「場」の制定や、発電事業の開発に関する自治体条例や合意形成ガイドラインなどを策定し、地域の住民や企業が主導する事業（ご当地エネルギーまたはコミュニティパワー）への転換。地域企業、地域金融機関（信金、地銀など）および地域住民が参画する「場」において、十分に時間をかけて説明・議論を行うことが重要である。

⑵ 自然エネルギーの導入目標

　エネルギー政策基本法（2002年公布）に基づき政府がほぼ3年毎に策定する第5次エネルギー基本計画は2018年7月に閣議決定されている。この中で、2030年までのエネルギー政策については、2015年に決定されたエネルギーミックス（エネルギー構成の目標）をそのまま変えずに踏襲し、その実現のために「可能な限り原発依存度の低減」と自然エネルギーの「主力電源化への取組」を早期に進めるとしている。しかし、その計画の内容を見ると、世界で進む自然エネルギーの大躍進やパリ協定により進む自然エネルギー100%への大きなうねりを反映しておらず、3.11後に日本国内でも進み始めたエネルギー転換への様々な取り組みを後押ししているとは思えない。2050年に向けては脱炭素化技術の全ての選択肢を維持するとしているが、脱炭素化で出遅れた産業界の意向を重視するあまり日本企業による今後の技術開発ばかりを期待して、すでに実績のある制度や技術での地球温暖化対策をせずに問題を先送りしているようにも見える。

　そのため、エネルギー基本計画で前提としている温室効果ガスの2030年の削減目標や省エネの目標はとても国際的に十分な水準とは言えない。日本国内でも省エネ余地の大きい多くのエネルギーを消費している産業部門や業務部門のエネルギー効率化や省エネルギー対策を根本的に見直す必要がある。それにより2030年までには電力だけではなく、熱利用や交通部門のエネルギー需要についても根本的な削減を目指す必要がある。エネルギー供給高度化法の下では、2030年度の国内での販売電力量の44%を非化石電源（自然エネルギー＋原子力）とすることが目標とされているが、実現不可能な原発比率20%が含まれている問題がある。原発ゼロを前提としたうえで、自然エネルギーを電力需要の50%以上とすることで、

2030年における温室効果ガス削減目標として、欧州各国と同じ水準の50%以上（1990年比）を目指す必要がある。そのためには、原発ゼロ社会を前提とすることでこれまで既存の電力会社の既得権益に阻まれて進まなかった電力システムのインフラへの投資を加速することも必要である。さらに世界全体で1.5度未満を目指すという気候変動対策の努力を無視した、無責任な石炭火力建設ラッシュを緊急に差し止める必要もある。長期的な温室効果ガスの削減目標としてこれまで定めた2050年に80%削減を達成するに留まらず、長期的には温室効果ガスの排出ゼロ、自然エネルギー100%を目指す目標を国、地方自治体、企業が定めることが求められている。

⑶ 自然エネルギー100%のイニシアティブ

　自然エネルギー100%を目指す動きは2015年のCOP21で採択されたパリ協定により、世界中の地域や企業へと広がり、さらに大きなうねりを見せている。2014年にスタートした「RE100」は、企業の自然エネルギー100%を推進する国際ビジネスイニシアティブであり、世界の影響力のある大企業が日本国内を含め多数参加している[21]。都市のイニシアティブとしては、2019年5月に世界の大都市のリーダーでつくるU20（Urban 20）が、「2030年までに電力の割合を再生可能エネルギー100%、2050年までに再生可能エネルギー100%を実現することで、エネルギー供給網の脱炭素化を約束する」と宣言し、東京都と大阪市と共に、世界の名だたる大都市のリーダーが署名している。

　日本国内では2007年から毎年、千葉大学倉阪研究室と環境エネルギー政策研究所（ISEP）の共同で永続地帯研究会において、「エネルギー永続地帯」として日本国内の地域別の自然エネルギー供

21）RE100 http://there100.org/

給（電気と熱）とエネルギー需要（家庭と業務）から地域的エネルギー自給率を推計している[22]。2017 年度の推計では、日本全国で地域的エネルギー自給率が 100% を超えた市町村の数が 100 を超えた。

4．まとめ

　日本国内での持続可能な自然エネルギーへの転換は、3.11 を契機にその途上にあり、様々な課題を克服しつつ自然エネルギーの主力電源化を目指すという方向性は見えてきた。しかし、2020 年のカーボンニュートラルを国際的に宣言したものの、自然エネルギーに関する長期的な目標やロードマップは国レベルではいまだ定まっていない。しかし、各地域での課題解決のためには地域の様々な資源を活用した分散型エネルギーシステムへの転換は避けては通れない。

　いまこそ、国レベルの長期的な自然エネルギー 100% に向けた仕組みづくりや、そのための各種エネルギーインフラの整備を行い、各地域の特性に応じた地域主体の取り組みが求められている。

22）エネルギー永続地帯　https://www.isep.or.jp/archives/library/category/energysustainable-zone

【コラム】光熱費に見る負担の不平等とその緩和策

　光熱費の負担割合は所得が低いほど高くなる傾向にある。光熱費は、基本的な消費量が所得の違いにあまり左右されないためだ。光熱費の削減には、生活様式の見直しのほかに、例えば省エネ家電への買い替えや、太陽光パネルの屋根への設置、省エネリフォーム実施などがあるが、導入には大きな初期投資が必要だ。国や地方自治体は省エネ・創エネを促進するため機器の導入に様々な補助金を設けているが、低所得層などは初期投資額の捻出が難しいため、そうした補助金から取り残される結果となっている。

　2020 年の光熱費は、年収 750 万円以上の世帯では、2000 年に比べて安くなった一方、それ以下の世帯では、増加している。光熱費の単価は基本的には収入にかかわらず一律であることを考えると、省エネ機器・設備の導入や太陽光パネル設置などにより消費量を減らすことで比較的裕福な層は光熱費を下げられたのだと推測できる。

図1　年収に占める光熱費支出割合（2020 年）

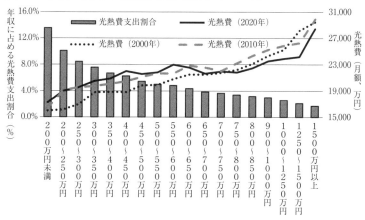

家計調査より作成

日本ではこの間、省エネ・創エネの導入は主に不動産所有者の自主性に任せた取り組みが行われてきた。結果、省エネ性能の高い住宅の供給はあまり行われてこなかった。特に賃貸集合住宅では、省エネ性能を改善しても不動産所有者ではなく、居住者に便益が発生するので、ほとんど供給されていない。また、公営住宅に関しても、屋根を企業に貸し出して太陽光パネルを設置し、屋根などの賃借料を自治体収入にあてることなどは頻繁に実施されている。だが売電収入や賃借料を居住者の光熱費引き下げに使ったという事例はあまり例がない。

　一方で国外に目を向けると、省エネ・創エネを低所得者層にも導入可能にする施策がとられている。例えば、米エネルギー省が低所得者層向けの省エネ補助金を導入している[1]。米カリフォルニア州では低所得者向け集合住宅への太陽光発電設置補助金などが導入されている[2]。また、米国ではほとんどの州で建設時や改築時の住宅・建築物に対する省エネ基準への適合が必要となっている[3]。中国でも「太陽光発電による貧困削減プロジェクト」が各地で実施され、低所得層の光熱費削減などが図られている[4]。また、欧州でも社会福祉団体や地域エネルギー事務所（3-2章4項）等がエネルギー貧困問題に取り組んでいる。失業者や難民が職業訓練を受け、エネルギーアドバイザーとして雇用され、低所得世帯に無料の省エネ診断を行うなど、福祉の向上、環境の改善、雇用の促進を組み合わせた取り組みも行われている。

　現在、日本では特に低所得者層や集合住宅に居住する層を対象にした省エネ・創エネ支援が不足している。2020年からの新築住宅への省エネ性能適合義務化も見送られた。省エネ・創エネの利益を低所得者層などが享受できる施策を国・自治体は早急に導入すべきだ。　　　　　　　　　　　　　　　　　　　　　　（松久保　肇）

1) Department of Energy, 2021, "WEATHERIZATION ASSISTANCE PROGRAM", Washington, DC: Department of Energy. (Retrieved April 4, 2021, https://www.energy.gov/eere/wap/weatherization-assistance-program)
2) California Public Utility Commission, 2021, "CSI Single-Family Affordable Solar Homes (SASH) Program", CA: State of California. (Retrieved April 4, 2021, https://www.cpuc.ca.gov/General. aspx?id=3043)
3) 三菱総合研究所, 2018,『平成29年度省エネルギー政策立案のための調査事業（海外の住宅・建築物の省エネルギー規制等を踏まえた日本における制度のあり方に関する調査）報告書』, 経済産業省（2021年4月16日取得, http://meti.go.jp/meti_lib/report/H29FY/000192.pdf）
4) 朴美善, 2020,「中国における「太陽光発電による貧困削減プロジェクト」の成果と課題」『国際地域学研究』, 23, 99-116（2021年4月14日取得, https://toyo.ex.php?action=pages_view_main&active_action=repository_action_common_=12177&item_no=1&attribute_id=22&file_no=1&page_id=13&block_id=17）

2

持続可能な地域づくりとエネルギーの大転換

地域主導と市民の参加による「自治」と「移行」が鍵

手塚 智子

概要

- 化石燃料による大規模集中型の社会システムから、自然と共生する小規模分散型の社会システムへの移行に向けて、エネルギーシステムの分権化、地域や市民によるボトムアップ型の実践が必要。

- 公営電気事業の売電契約は、新電力に開かれるべき。

- 地域エネルギーは、地域固有の資源であり、地域の人々の参画によって地域社会や環境と共生する事業が、優遇され推進されるべき。

- 自治体による電力調達においては、価格のみでなく環境への配慮や電源構成、地域性などの視点をもった調達を行うべき。

- 自治体による気候エネルギー政策を継続的かつ統合的な政策とする後押しとして、地域での取り組みを推進する人材を確保する制度・仕組みを導入すべき。

- 地域や市民による実践が進むよう、国の政策や計画に対しその形成過程から情報を収集・共有し、影響を与えるなどの役割を持つ、強力な市民社会的連合体やネットワークの形成が望まれる。

1. エネルギー多消費社会は人を幸せにするか？

　持続可能な社会へのシフトを求める声が高まっている。最適な未来を社会・世界全体で、将来世代と享受できるようにするために、早急に手を打たなければならない。私たち人間の活動範囲は、エネルギー消費と共に拡大をつづけてきた。それは、便利で快適な暮らしや、手ごろな価格で遠くにスピーディに移動できる自由も、私たちに与えてきた。

　一方で、エネルギー・資源の無造作な利用は、気候変動等による自然災害や生態系の破壊、深刻なプラスチック汚染、化学肥料等による土壌・水の汚染等も全世界的に引き起こしている。偏在するエネルギー等資源をめぐり、戦争や紛争が繰り返されてきた。住民が望まない大規模開発が強引に行われ、地域の分断や伝統的な自然共生型の暮らし・生業・文化の破壊も繰り返されてきた。成長と効率化を追求し、自然も人間も浪費するグローバル経済、格差と分断を生む大量生産・輸送・消費・廃棄の経済、その限界は明らかである。環境を、社会、自然、人間自身も壊す今の社会システムを、早急に変えなければならない。コロナ禍は、社会・自然環境を急速に改変してきたいまの文明社会が生み出した側面も持つといわれる。

　私たちはどのように、現状を転換し持続可能で平和な社会を次の世代に残すことができるだろうか。

2. エネルギーは国策ではなく、地域の資源、地域づくりの要

　私たちの生存基盤は自然資源である。元来、エネルギー利用は森や里山から得られる薪や炭、油、太陽・風・水のエネルギーの直接利用を主とし、地域の資源循環の一部であった。農山村地域の主要

な産業でもあった。身近に得られる地域資源の利用を基調とする社会では、おのずと生産、流通、移動に関してもエネルギー低消費社会であった。

電気の利用は、暮らしの質の向上や産業の発展をもたらした。しかし今日では、電力の供給システムは著しく巨大化、複雑化し、透明性を欠き、有限な資源を、再生速度を上回るペースで浪費する文明社会を支えている。

エネルギーは、暮らし、産業、移動など生活のあらゆる場面で用いられる。そのため、エネルギーの転換は、社会の構造・システムの転換を方向付けることになる。持続可能な未来をどう実現するのかとエネルギーの大転換とは、不可分である。どのような未来を選ぶか。いま、誰もが当事者として、対話を通して、望ましい社会のあり方を具体的に構想すること、そのうえで地域の未来を選択し実践することが、必要とされている。

エネルギーは国策ではなく、地域の資源、地域づくりの要である。化石燃料による大規模集中型の社会システムから、自然と共生する小規模分散型のエネルギー・社会・経済システムへの移行に向けて、できること、すべきことは何か。まず、エネルギーシステムの分権化（以下では主に電力）、地域や市民によるボトムアップ型の実践があげられる。

3．エネルギーシステムの分権化は進んでいるか
～"お任せ"から"担い手"へ、求められるエネルギーの自治

⑴ 小売事業の自由化

2011年以降の大きな変化として、電力システム改革と電力小売り全面自由化があげられる。現在、小売電気事業者登録されている事業者は約760社にのぼる（2021年1月現在）。全面自由化前夜の

277 社に比べ約 2.7 倍増え、かつ多様化している。自治体が出資する自治体新電力は、全国で 40 社を超えるまで増えた。都市部では、生活協同組合が相次いでエネルギー事業に参入し、生活クラブエナジーやパルシステム電力をはじめ、大阪いずみ市民生協や北海道のトドック電力があげられる。グリーンコープ連合会は、自然エネルギーによる市民電力事業の推進を目的に「一般社団法人グリーン・市民電力」（現グリーンコープでんき）を 2012 年に設立。「電気を、原発にそして電力会社任せにせず」「自分たちで使う電気を、しかも自然エネルギーによる電気を自分たちでつくり出していこう」と決意し、2016 年 7 月から小売事業を開始し供給エリアを広げている。

　しかし課題は山積である（113 頁コラム参照）。地域に密着した、または協同組合による電力小売会社には、自然エネルギー電力の供給やエネルギーの地産地消を特徴とする事業体が多く、電源の確保が共通の課題となっている。小売事業分野が多様性を維持し、協同性や自然エネルギーを重視する電気事業が拡がるには、発電事業や消費者との連携が不可欠である。

　日本の自然エネルギー電源の多くは水力発電が占める。水力事業の主体には、旧一般電気事業者等のほかに公営電気事業者がいる。公営電気事業経営者会議によると、会員 25 事業体の発電規模は、最大出力合計は約 246 万 kW（水力発電 232 万 kW、太陽光発電 5.7万 kW、風力発電 5.4 万 kW、火力・ごみ発電 2.5 万 kW）にのぼる[1]。

　経済産業省の 2014 年の調査によると、地方自治体 135 団体が保有する発電所の 80％以上（数、出力ベースとも）が、このうち水力発電所のほぼ全量が、一般電気事業者と長期かつ随意で売電契約を結んでいた。また、契約の見直しを進めるにあたり、特に①既存契約には解約条項がなく、期間中の解約が規定されていないため、検討

1）公営電気事業経営者会議，2020,『自然の恵みをエネルギーに 公営電気事業』

が進まない、②仮に解約した場合に生じうる解約補償金に関する考え方がわからない、の2点がハードルとなっていた[2]。

　2012年4月に東京都は東京電力と水力発電事業の売電契約解約に向け協議を開始したところ、補償金として約52億円を要求された。東京地裁における民事調停を経て、最終的には東京都が東京地裁の提案を受け、2014年5月に解決金として13億8300万円を東京電力に支払うことを発表している。

　上記2点がハードルとなっている実情を踏まえ、2015年3月、経済産業省は「卸電力取引の活性化に向けた地方公共団体の売電契約の解消協議に関するガイドライン」を策定。ただ、2019年10月の調査によると、公営電気事業経営者会議の会員25事業体のうち23自治体（出力で93％）が旧一般電気事業者との随意契約を継続している[3]。契約期間の満了に伴い、入札や公募型プロポーザルによる売電契約手続きを進める自治体もではじめているが、価格面のみでなく、地域性や持続可能性など総合的な評価による入札等が望まれる。また既存契約の解消についても、旧一般電気事業者は違約金の確認や試算に協力し、自治体は売電収入の増加についても試算を行う等により、公営電気事業の売電契約は、さらに新電力に開かれるべきである。

(2) 発電事業

　発電事業に関して、国内の電源は、旧一般電気事業者と旧卸電

2）経済産業省 総合資源エネルギー調査会 基本政策分科会 電力システム改革小委員会 制度設計ワーキンググループ（第11回：2014年12月24日）‐ 事務局提出資料（2021年3月29日接続確認）
https://www.meti.go.jp/shingikai/enecho/kihon_seisaku/denryoku_system/seido_sekkei/011.html
3）電力ガス取引監視等委員会制度設計専門会合（第43回：2019年11月15日）事務局提出資料（2021年3月29日接続確認）
https://www.emsc.meti.go.jp/activity/emsc_system/043_haifu.html

気事業者が約8割を所有し、発電（卸電力）市場はいまだ寡占状態である。2012年以降、太陽光、風力等の自然エネルギーに関して、主体は多様化しつつあるといえる。日本では、社会運動としての市民の共同による発電所（市民共同発電所）は、1994年当時、原子力発電所の立地計画に誘致か反対かで揺れる宮崎県串間市で市民がお金をもちより建設した太陽光発電所が、その最初といわれている。「電気は電力会社から買うもの」という固定観念を覆し、自ら発電所を所有し電気の生産者になれる、との代替案を示すプロジェクトであった。発電原価は220円／kWhを上回り、発電事業の採算性は見込まれなかった。そのようななかでも、市民共同発電所は年々増え、2011年までに393カ所設置されている。3.11を受けて、FIT制度を追い風に、2016年度までにその数は1000を超えている。とりわけ東北地方、特に福島県内に、地域の主体・所有による数多くの市民・地域発電所やその運営体（市民電力・ご当地エネルギー）が生まれている。2002年から開催されてきた市民・地域共同発電所全国フォーラム、2014年設立の市民電力連絡会、ご当地エネルギー協会といった、ネットワーク組織も生まれた。ただ、こうした地域・市民による発電事業が発電市場全体に占める割合は、残念ながらまだ小さい。

　戦前・戦後、例えば昭和20年代から30年代には農業協同組合等が導入し所有する小水力発電が、中国地方だけで100カ所以上（現在約50カ所）、全国に約190カ所存在し、住民が守りつづけてきた。森が生む水の恵みを享受する小水力発電は、農山村地域の生活の質向上に戦前から貢献してきた。暮らしに必要なエネルギーを、自然と共生し得てきた延長に、水力の発電利用もされてきた。その建設の際には、集落や人々がリスクとメリットを見極めながら意思決定し、お金や労力、集落の森林資源を出し合い、地域の未来を選んできた。こうした歴史にも、今後の地域のエネルギー自治に向けたヒ

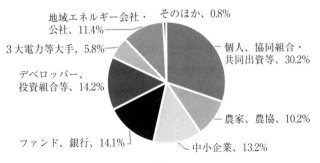

図1　2019 年までに導入されたドイツの自然エネルギー発電設備所有者分布（計　118.9GW）

地域エネルギー会社・公社、11.4%

そのほか、0.8%

3 大電力等大手、5.8%

個人、協同組合・共同出資等、30.2%

デベロッパー、投資組合等、14.2%

農家、農協、10.2%

ファンド、銀行、14.1%

中小企業、13.2%

出典）trend:research（2020）[4]より作成

ントを見出すことができる。

　一方、日本の現状の FIT 制度には功罪の両面がある。山野を切り崩し、地域外の資本等により建てられる巨大なメガソーラー発電所などが増えている。地下水脈等への悪影響や、安定した地形を改変することで誘発される人為的な自然災害などが懸念され住民の反対運動も起きている。日本の FIT 制度では、太陽光発電の買取補償について容量の上限や、規模別に細やかな差異のある買取価格の設定をしなかった。バイオマスに関しては海外からの燃料調達や持続可能性の観点から多くの問題がある。これらから事業採算性を最優先する結果、発電設備の巨大化や安全軽視の設計、住民の望まない合意なき開発、環境や地域社会に悪影響を与える輸入資源の活用が容易に起きる仕組みになっている。このことは、FIT 制度が導入された当初から問題とされてきた。地域外の資本の論理を押しつけ社会や環境を破壊する開発行為は、原発や火力発電開発に通底する構造的な問題であり、地域資源を搾取する再エネ利用の暴走とも

4）trend:research(2020) *Eigentümerstruktur: Erneuerbare Energien (4. Auflage)*

いえるだろう。近年の太陽光発電の固定買取価格の劇的な低下により、資本力のある地域外資本による大規模開発が加速し、ご当地エネルギー・市民電力等による事業は停滞期に入ったともいえる。

　地域エネルギーは、地域固有の資源である。いまあらためて、自治体や住民、地域の関係者が、どのような未来を選ぶか考え、持続可能な土地利用の面からも地域のエネルギー・資源の主体的な利用を議論する必要がある。FIT 制度が先行導入されたドイツで、2019 年までに設置された自然エネルギー発電設備のうち、40.4％が個人や協同組合、農家等により建設されている。地域エネルギー会社を含む地域・市民主体の設備は 5 割強を占める。

　日本でも、地域や農地再生との相乗効果を生むソーラーシェアリングや、消費地で発電する PPA モデル、消費者が自ら屋根等でエネルギーを生産するプロシューマーの拡大、電力小売会社との連携など、新たな事業領域でのご当地エネルギー・市民電力の展開を期待したい。地域エネルギーの活用は、発電事業も、大規模開発とは一線を画し、地域の人々の参画によって地域社会や環境と共生する事業が優遇され、推進されるべきである。

⑶ 消費者による選択

　電力小売全面自由化により、日本でもついに、誰もが電力や電力会社を選ぶことができるようになった。自由化前に約 5 ％だった新電力のシェアは、約 19％に伸びている（2020 年 11 月時点[5]）。一方で、公正な取引を行う場として、電力市場は適正に設計、整備されているとはいえない。課題は山積である（113 頁コラム参照）。

　2015 年 3 月には、環境、脱原発、消費者団体が集まりパワーシ

5）電力・ガス取引監視等委員会 2021 年 3 月「電力取引の状況」（令和 2 年 11 月分）（2021 年 3 月 29 日接続確認）https://www.emsc.meti.go.jp/info/business/report/results.html

フト・キャンペーン実行委員会が立ち上げられた。消費者による環境に配慮した電力会社の選択を通して、自然エネルギーが中心の持続可能なエネルギー社会へ転換することを目的とし、7つの基準を設け電力小売会社を紹介するなど Web 等で情報を発信している[6]。電力会社の選択がこれからの方は、情報を確認して、ぜひ望む未来に一票を投じていただきたい。

　電力小売全面自由化の中で、企業や公共団体による電力調達も、重要な役割を持っている。国や地方公共団体は、環境配慮契約法に基づき、エネルギーも環境に配慮し総合的に評価して調達することが定められている。同実行委員会では、2019 年に一橋大学、朝日新聞社、環境エネルギー政策研究所と協力し、「自治体の電力調達に関する調査」を行った[7]。自治体による電力調達の現状と方針の可視化と、望ましい電力調達のあり方を考察することが目的である。結果からは、回答のあった自治体（47 都道府県と 20 政令指定都市）の本庁舎の電力契約では、半数以上が新電力から大手電力に戻り、約8 割が大手電力から調達している実態が明らかになっている。

　一方で、新電力を設立している自治体では、39 自治体のうち 8割強が、本庁舎の電力を地元の自治体新電力から、随意契約で調達していた。後者では、調達に際して最も重視する点は地元からの調達であり、価格にならび地元産のエネルギー割合を重視する傾向も明らかになった。地域に電力を小売りする会社があることで、エネルギーを地産地消し、地域経済の活性化につなげることもできる。調査報告書では先行事例等を紹介し、提言をまとめている。例えば、価格のみでなく環境配慮や電源構成、地域性などの視点をもって電

6）パワーシフト・キャンペーン実行委員会　https://power-shift.org/（2021 年 3 月
　29 日接続確認
7）『自治体の電力調達の状況に関する調査報告書』
　http://power-shift.org/jichitaireport2019/（2021 年 3 月 29 日接続確認）

力を調達するには、自治体が環境配慮契約の方針を策定するとともに、総合評価による落札方式が有効である。この報告書を、ぜひ各地で自治体への提案等に生かしていただきたい。

⑷ 配電網の再公営化・地域化

　小売電気事業者にとっても、発電事業者にとっても、事業性の面でネックになるのが送配電網のあり方である。目下、配電事業制度について資源エネルギー庁の「持続可能な電力システム構築小委員会」で議論されている。持続可能性に配慮した再エネ中心の新電力にとって活用しやすい制度になるか、電気事業の分権化につながるかどうか、注視したい。

　2021年1月現在、約30社が特定送配電事業者に登録している。特定送配電事業者は、自己の送電設備・配電設備を使って一般に電気を供給できる。その内訳は、旧特定電気事業者である鉄道会社や鉄鋼会社などの送配電部門が多く登録するほか、一般社団法人東松島みらいとし機構、ひおき地域エネルギー株式会社、葛尾創生電力株式会社といった、地域主体の会社も増えつつある。地域主体の会社は、自分たちの地域でのエネルギーの地産地消や防災を理念、ミッションとして掲げ、マイクログリッドやスマートコミュニティを構築している点が特徴である。その背景には、「他の国や地域に頼ることなく使えるエネルギーがあることは、安心で安全な生活につながります」「地域の皆様と協力し、電気事業を通して日置市の人口減少や少子化など様々な課題に対して取り組んでいきます」[8]、「電力の地産地消で村内に経済循環を生み、災害時には電力自立によって村民の生活を守ります。2011年の原子力災害で5年間に渡り全村避難を余儀なくされたこの村で、村民が安心し、より豊かな暮らしを営ん

8）ひおき地域エネルギー株式会社 https://www.hiokienergy.jp/aboutus/（2021年1月25日接続確認）

でいくために、自然エネルギーを活用した村づくりに取り組みます。多くの自治体が直面する過疎化による課題を解決し、"エココンパクトヴィレッジ"として、中山間地域の新たなモデルとなることを目指します」[9]といった思いがある。

　地域エネルギーの活用により経済の好循環が地域に生まれ、脱炭素社会への転換、人口減少地域の地域課題の解決と連動させることができる。さらに"エネルギー"にとどまらず、中央集権化している富・情報・ノウハウ・人材等を、地域が主体的に再分配していくことにもつながる。

　こうした傾向は、欧州でみられる動きにも通じる点がある。域内市場の自由化にまい進した欧州では、グローバリズムや新自由主義による格差の拡大、極右の台頭、気候変動、難民との共生といった複数の危機や課題に直面している。その中で、近年、スペインのバルセロナなどで提唱、実践され、そのネットワーク化が進んでいるのが「ミュニシパリズム（municipalism）」である。水道・エネルギー等公共サービスの再公営化や、地域の自然エネルギー利用、有機農産物利用等を促進し、弱者に寄り添い、市民の直接的な政治参加、地域政治の透明性を高め説明責任を強化するといった政策がとられている。欧州では、EU単一市場下の「公共調達指令」によって入札を義務付けているが、そうした競争・市場原理主義を脱却し、地域が主体的に公益の価値を中心に置きなおす動きである。今の社会システムの限界に対するオルタナティブを、地域と住民が選択する一例といえる。

　これらは、日本の戦前、戦後にあったエネルギー自治の姿にもみることができる。明治後期から昭和初期にかけて、仙台市、静岡市、大阪市、神戸市などが、電気事業を民間企業から買い取り、並行し

9）葛尾創生電力株式会社 http://www.katsuden-co.jp/company（2021年1月25日接続確認）

て公営鉄道事業や水道事業等を担っている。公益の視点から比較的安価な電灯料金を実現し、公共の福祉や生活の質向上、自治体財政にも貢献していた[10]。また、農山村地域では村有林や部落有林の売却益、住民の寄付や労働の提供等が地域電化の礎とされ、電気利用組合や共同自家用で運営する姿が見られた。電気事業や配電網は、もともと地域のものだったのである。

⑸ 電気事業の主体の流動性

　ある地域の電気事業の主体は流動的でありうる、という視点を、一度再確認してよいと考える。例えばアメリカの事例では、民間企業が売却する地域の電気事業を、カウアイ電力協同組合やオレゴン・トレール電気消費者協同組合、ラッパハノック電力協同組合等が買収し、事業エリアを拡大している例もある[11]。

　日本では戦時中、電力の国家管理を目的に、国策会社の日本発送電株式会社（1939年〜1951年）と9配電事業者（全国9ブロック）へ、当時約600社存在した民間会社や公営電気事業の発電・変電・送電・配電設備が、強制出資や買収という形で段階的に移管（実質的に接収）された。戦後には、配電を含めた電気供給事業を地域に取り戻そうとする全国運動が起きている。東京都、仙台市を筆頭に1946年から運動は始まった。1949年に「配電事業公営期成連合会」が結成され、政治へ強力に働きかけた結果、法案が作成され、再公営化の実現一歩手前までいった。同連合会は1969年に解散したが、9電力会社による完全な地域独占の時代は1960年代から始まり、一部小売自由化の始まった2000年までの約40年とも捉えられ

10）西野寿章（2014）「戦前における市営電気事業の展開と特性」『地域政策研究』第16巻第2号 1-19頁
11）三浦一浩・手塚智子（2017）『地域エネルギー供給において協同組合が果たしうる役割〜日米の比較調査から』全労済協会

る。2011年から約40年後の2050年、日本の人口規模は、電源が水主火従であった1960年代レベルに向かおうとしている。

　上記のほかの戦後の動きとして、北海道電力から島の発電・配電設備を買い取った利尻郡町村電気組合や、一度北海道電力に移管した発電・配電設備を引きついだ羅臼漁業協同組合、羅臼村電気局等が挙げられる[12]。1960年代には、各地域で小規模に行われていた公営や組合営による発電・配電事業が一般供給へと移管される「移管事業」が、全国的に行われていった。

　今後、電力システム改革が進み競争が本格化する中で、電気事業の主体や電気設備が売買や譲渡され、あるいは運営権が入札・委託される事例が、増えていく可能性がある。発電事業に関しては、すでに事業体や設備の売買、公営水力の運営権民間委託等が行われている。いずれの事業分野でも、移管や運営権の委託等に際しては、設備の価格や状態を中立的に適正に評価するしくみや、価格面のみでなく、地域性や持続可能性など総合的な評価と事業者の選択が求められる。

----
12) 前掲書

《事例》エネルギー事業の買戻し・再公営化

　トランスナショナル研究所によると、2000〜19年の間に、少なくとも世界58カ国の2400以上の自治体が関わる1400を超える公益事業が（再）公営化されている。とりわけ水道事業とエネルギー事業の再公営化が著しく、それぞれ311件、374件に及ぶ。
　この374件のうち305件は、ドイツでのエネルギー事業再公営化である。

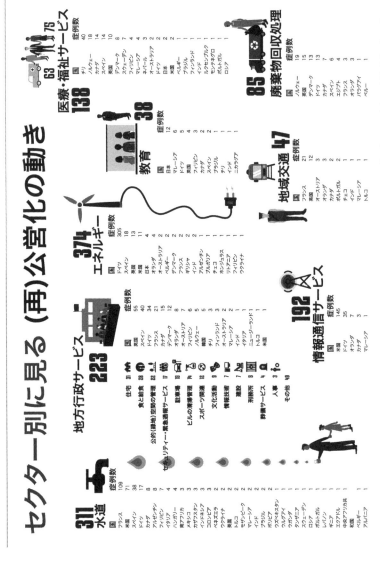

出典）トランスナショナル研究所『公共の力と未来（Future is Public- towards democratic Ownership of Public Servicesの抄訳）』(2020)

写真：出資者募集イベント "音楽とワインとエネルギーと" コンサートとワインを楽しみながら配電網の買取りについて語り合う市民たち

事例1：ハンブルク市では、自然エネルギーによる公正で気候に配慮し民主的に制御されたエネルギー供給の実現と、そのために不可欠な供給網の100%再公有化を住民・消費者が求め、住民発案、住民請求を経て、2013年に住民投票が実施された。投票結果を尊重し、提案を市は受け入れ、2014年から段階的に電気・熱・ガス供給網が再公営化されている。また州のエネルギー事業・政策への住民参画の場「エネルギー供給網協議会」が設けられ、運営されている。

事例2：市民エネルギー・ベルリンは、2011年に設立された協同組合である。設立目的は、配電網を再公営化ではなく、市民の手に取り戻し、①民主的な電力事業の運営、②100%自然エネルギーの供給をめざし、③配電事業によって現事業者（スウェーデンのエネルギー会社）が得ている巨額の収益を市民と地域に還元することである。同組合は運営権[13] 獲得費用の4割以上を自己資金でまかなおうと出資を募り、2020年10月までに2,500人から1100万ユーロ（約14億円）が寄せられている。運営権の移譲は2014年に予定されたが、現事業者による行政訴訟や売却額の不合意、別の大手エネルギー会社への移譲協議等により手続きが遅延。紆余曲折

を経て、現在、ベルリン市と同組合が出資する方向で、市との協議が進行中である。

・・・・・・・・・・・・・・・・・・・・・・・・・・・・・・・・・・・・

13) ドイツでは、地域のエネルギー供給網（配電網）に関し、自治体と配電事業者との間で最長20年毎に運営権契約を結ぶ。

4．急がれる地域や市民によるボトムアップ型の実践
～持続可能な社会システムへの移行はまったなし

　日本でも、2050年にCO_2排出実質ゼロを宣言する自治体が急増している。その数は200を超え人口の8割をカバーしている（2021年1月時点）。宣言をどう実現につなげるか。自然と共生する分散型のエネルギー・社会・経済システムへの移行に向けて、参考になる方向性やしくみをあげる。

⑴ 気候エネルギー政策は未来への投資
　気候エネルギー政策は、各地域の潜在的な力を高め、生活の質を豊かにする手段と位置づけられる。いわば、未来への投資である。各地で主体性をもって取り組むことで、地域を再生し、より持続可能な方向にデザインしなおすツールにできる。

⑵ 中長期的な目標をもち、計画を実践するモデルをつくる
　地域の資源と持続可能な活用範囲を知り、長期的視点で地域の動向を見極め、ビジョンを共有し、その実現に向けて具体的な計画・戦略をつくり進行管理をすることが求められる。参考になる動きや考え方のいくつかを、以下にあげる。
〈エネルギー自立の地域づくり〉
　エネルギー自立地域とは、一定の地域内で1年の収支上、消費す

る量と少なくとも同じ量のエネルギーを、域内の持続可能性に配慮した自然エネルギー源から得る自治体や郡、連合体である。対象は電気、熱、交通の三分野であり、実現するには大幅な省エネが大前提となる。エネルギー自立に向けた目標を、地域の議会での承認等により公的に位置づけ、住民と共に戦略的に取り組んでいく。類似の社会ビジョンに、「カーボンニュートラル自治体」や「2000 ワット社会」、「100%再生可能エネルギー地域」などがある [14]。

　背景には、オイルショックや原発関連施設建設計画への反対、域外エネルギー・経済からの脱依存、気候変動対策、持続可能なエネルギー社会への転換がある。なかでも農山村地域では、自然と共生する農業・観光・林業等の産業や生活環境の維持、ブランド力アップ、地域経済の活性化が最大の要因としてある。域外のエネルギーを購入するために地域から流出していたお金が、エネルギー自立により地域内で循環する魅力は大きい。

〈100%再生可能エネルギー地域〉

　ドイツで 2007 〜 15 年にかけ実施されたこのプログラムは、欧州レベルのプログラムや世界的なイニシアティブの形成など、100%再生可能エネルギー地域というコンセプトの普及に大きく貢献した。最終的にドイツの全人口の 1/4、国土の 1/3 を占める 150 地域が参加した。初期には農村地域の小規模自治体の参加が多く、徐々に郡や都市部に広がった。

　同プログラムは、連邦環境省が助成し、分散型エネルギー技術ネットワーク（deENet）と分散型エネルギー技術研究所（IdE）が開発・運営した。主な取り組みは、100% 再生可能エネルギー地域づくりを政策目標に位置づけ、取り組む自治体等の調査・研究、事例収集を行い、100% 再生可能エネルギー地域づくりを定義づけし、

14）的場・平岡・上園（2021）『エネルギー自立と持続可能な地域づくり』

先進地域の表彰、ノウハウ共有や人材交流の場となる全国会議の開催、コンサルティングやネットワーク化を行ってきた。取り組みが先行する自治体と後進自治体、または類似条件下にある2自治体をマッチングし、両自治体が相乗効果を生みながらエネルギー自立を実現するサポートプログラムなども行った。

　現在、NGO気候同盟が同プロジェクトを受け継ぎ、2030年までに100％再生可能エネルギー地域を目指す実践者のネットワーク「Regio-N」を運営している。都市と農村の連携と協働をより深め、面としてのエネルギー自立のスピーディな普及をめざしている。

〈バイオエネルギー村・自治体〉

　バイオエネルギー村とは、消費する熱と電力の50％以上を、持続可能な方法で、住民の参画のもとバイオマス燃料でまかなう村のことである。エネルギー作物や畜産廃棄物等によるバイオマス熱電併給や木質バイオマスによる地域熱供給を利用するケースが主で、協同組合や自治体が連携する地域が多くみられる。「再生可能資源専門機関（FNR）」が運営し、関連技術や事例、知見の積極的な発信、優良事例の村・自治体の表彰等が行われている。持続可能な地域のバイオマス資源利用がもたらす経済循環などポジティブな効果をみえる化し、実践自治体と専門家、行政等とのネットワークを構築している。

　日本での事例として、滋賀県が2005年から検討をはじめて2008年3月に「持続可能な滋賀社会ビジョン」を策定し、その実現のためのロードマップづくりを、住民参画で行ってきた。県内のCO_2排出量を2030年時点で1990年比半減するために必要な対策群や、人々の生活スタイル、社会基盤などを示している。現在、「豊かさを実感できる持続可能な滋賀の将来像」作成と、その社会実装支援の準備が進められている。

　長野県では、2019年12月に行った「気候非常事態宣言」の理念

を具体化するため、長期的な施策の方向性と目標を含む「長野県気候危機突破方針～県民の知恵と行動で“持続可能な社会”を創る」を2020年4月に策定している。ゼロカーボン実現に向けて、2016年度比2050年度までに最終エネルギー消費の7割削減、地域主導の自然エネルギー事業推進によりエネルギー自立地域を確立、などを目標に位置づけ、建物や住宅の高気密・高断熱化、歩いて楽しめるまち、EVカーシェアや自転車、公共交通が機能する脱炭素まちづくりなどを掲げている[15]。

　最適な未来を社会・世界全体で、将来世代と享受できるようにするためには、地域の資源循環に即したライフスタイルと社会インフラの整備が不可欠である。電化が進むとされる運輸部門でも、自転車や公共交通の利用を重視した都市構造等への転換をはかり、エネルギー・社会システム全般を変革することが求められる。

(3) 地域のエネルギー政策をマネジメントするツールやしくみ

　ボトムアップ型の実践が同時多発的に進むには、地域の特性や状態に応じて、自発的な取り組みを引き出し、必要な支援を受けることができる仕組みをつくることが効果的である。そうした仕組みの例として、オーストリアでは、広域的な自治体連携による取り組みを支援する「気候エネルギーモデル地域（以下、KEM）」や「気候変動適応モデル地域（以下、KLAR！）」、より高いレベルの気候エネルギー政策を目指す自治体向けの「e5プログラム」等の国のプログラムがある。これらに加えて、環境NGO気候同盟や、後述する州の地域エネルギー事務所による支援制度も構築されている[16]。

　KEMやKLAR！は、気候エネルギー政策や適応策に関する戦

---

15) 長野県（2020）「長野県気候危機突破方針」
16) 的場・平岡・上園（2021）

略・コンセプトづくりとその実践を促す、ボトムアップ型のプロジェクトである。広域の気候エネルギー政策／適応策の目標やその達成のためのロードマップを含む「気候／適応コンセプト」を住民参加により策定する必要があり、それを進める人材（気候マネージャー／Klar! 地域マネージャー）の雇用に費用が出され、継続的に伴走支援が行われる。コンセプトの内容は、地域の特性や課題、ポテンシャルに即して目標とその達成に必要な10の対策を設定し実施計画をまとめたもので、地域の主体が参加するプロジェクトの実践とレビュー等を義務づけている。これらにより、住民の参画や地域の自発的な取り組みが実行されることを担保している。

「ｅ５プログラム（e5-Program）」は、自治体による気候エネルギー政策を継続的にバージョンアップするために、その実施・達成状況を評価・認証・表彰し支援するプログラムである。オーストリアの254の自治体、全人口の2割以上が暮らす地域が、このプログラムに参加している。認証を受けるには、まず6分野79の対策カタログをもとに、地域の課題と改善ポテンシャルを分析し、分析に即した目標を設定して対策を実施する。住民たちによる分野横断的な運営チーム（ｅ５チーム）が構築され、調査や対策の検討を行い、各州の地域エネルギー事務所（後述）から派遣されるｅ５アドバイザーのサポートを受けて計画を作り、対策を進めていく。ｅ５の認証機関は、対策ごとの実施状況を審査し、目標の達成状況に応じて5段階（ｅ～eeeee）の認証を行う。

対策には、公共施設の断熱改修やパッシブ木造建築、住民の買い物支援を通じた地産地消促進、自動車以外のモビリティサービスの充実なども含まれ、気候エネルギー政策の推進が、持続可能な地域づくりや生活の質向上との相乗効果を生んでいる。こうした対策や

① 最終エネルギー消費量の7割削減シナリオ

・最終エネルギー消費量を7割削減（18.6万TJ→4.75万TJ）
・技術革新の動向も注視しつつ、環境・経済面で最適な政策を選択

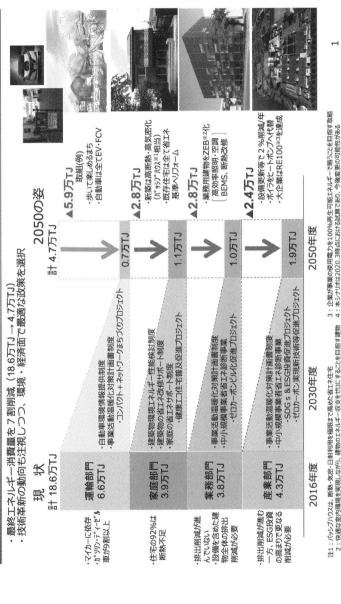

	現状 計 18.6万TJ 2016年度		2030年度	2050年度	2050の姿 計 4.75万TJ
・マイカーに依存 ・ガソリン・ディーゼル車が9割以上	運輸部門 6.6万TJ	・自動車環境情報提供制度 ・事業活動温暖化対策計画書制度 ・コンパクト＋ネットワークまちづくりのプロジェクト		0.75TJ	▲5.9万TJ 取組(例) ・歩いて楽しめるまち ・自動車は全てEV・FCV
・住宅の92%は断熱不足	家庭部門 3.9万TJ	・建築物環境エネルギー性能検討制度 ・建築物の省エネ改修サポート制度 ・家庭の省エネポート制度 ・健康エコ住宅普及促進プロジェクト		1.1万TJ	▲2.8万TJ ・新築は高断熱・高気密化（パッシブハウス[※1]相当） ・既存住宅は全て省エネ基準リフォーム
・排出削減が進んでいない ・設備を含めた建物全体の排出削減が必要	業務部門 3.8万TJ	・事業活動温暖化対策計画書制度 ・SDGs＆ESG投資促進事業 ・中小規模事業者省エネ診断事業 ・ゼロカーボンビル化促進プロジェクト		1.0万TJ	▲2.8万TJ ・業務用建物をZEB[※2]化 [高効率照明・空調 BEMS、断熱改修]
・排出削減が進む一方、ESG投資の高まりで更なる削減が必要	産業部門 4.3万TJ	・事業活動温暖化対策計画書制度 ・中小規模事業者省エネ投資促進事業 ・ゼロカーボン実現新技術等促進プロジェクト		1.9万TJ	▲2.4万TJ ・設備を更新等で2％削減/年 ・ボイラをヒートポンプへ代替 ・大企業はRE100[※3]を達成

注1：パッシブハウスは、断熱・気密・日射利用を極限まで高めた省エネ住宅
注2：快適な室内環境を実現しながら、建物のエネルギー収支をゼロにすることを目指す建物

3：企業が事業の使用電力を100%再エネで賄うことを目指す取組
4：ネップリオオは2020.3時点における試算であり、今後変更の可能性がある

出所）長野県（2020）「長野県気候危機突破方針」

1

2 持続可能な地域づくりとエネルギーの大転換 121

プログラムは、既存の技術を用いて日本でも実施できるものばかりである。e5に熱心な自治体の多くは、人口1万人以下の小規模自治体である。これらの自治体にとってe5認証は、地域の課題を解決し持続可能な地域への移行を助けるツールでもあり、魅力ある地域としてアピールするブランドの一つとも捉えられる。

　日本でも、自治体による気候エネルギー政策を、継続的かつ統合的な地域政策とすることが求められる。そのためには、地域での取り組みと住民参加を推進する人材を確保する制度やマネジメントする仕組みが、脱炭素社会・経済への移行のために必要である。

⑷ 住民参加と地域協働を促進する「中間支援組織」
〈地域エネルギー事務所／エネルギー・エージェンシー〉

　EU域内には少なくとも426組織のエネルギー事務所が、国、州、基礎自治体等に存在する（2014年時点）。この地域エネルギー事務所は、地域の気候エネルギー政策や戦略に即して、脱炭素社会への移行に向けた各主体の実践を、あらゆる面で支援する。専門家の派遣や主体間の連携、協働事業等をコーディネートし、気候保全と地域経済に貢献している。とりわけ、エネルギーの効率利用・省エネ促進（エネルギーアドバイス、エネルギー貧困対策、排熱の地域内利用促進など）や、近年では運輸部門の脱炭素化に力がそそがれている。

　主な活動や事業は、①「住民・事業者への情報提供・助言」、②各主体・専門家向けの「教育・人材育成」、③「自治体のエネルギー政策・事業に対する支援」で、③では気候エネルギー政策に関する計画の策定・実行や、EU・国等の補助金の獲得や提供、上述のKEM等に取り組む自治体への支援等が行われている。このほか、各種調査、他のエネルギー事務所とのノウハウ共有等に取り組む[17]。

　設立には州政府等が関与や主導するケースが多く、運営資金の一部を提供しているが、地域エネルギー事務所の多くは外部から一定

程度事業収入を得ており、組織や運営は独立した民間非営利組織である。地域のエネルギー会社や金融機関、経済団体、運輸会社、消費者団体、NPO などが会員に名を連ね、多様な主体が参加している。中間支援組織の設置は義務ではなく、州政府や自治体、民間等が自主的に判断して設立されている。公的・中立に運営され、各方面から信用されている点が特徴である。

⑸ 財源や基金

上記の ⑶ KEM 等のプログラムは、国によって設置された「気候エネルギー基金」が主に資金を提供している。とりわけ、運輸部門の脱炭素化（需要回避、公共交通・徒歩・自転車へのシフト、動力源の技術改善等）のプログラムに積極的に支援が行われている。

日本では、地域での気候エネルギー政策の実践を推進する基金を、国によって早期に設置することが難しい場合には、民間で拠出する基金等の設置により、地域や市民によるボトムアップ型の実践が支援され、スピーディに進むことが望まれる。気候エネルギー政策は、持続可能な地域の内発的な発展に資するものであるとともに、地域外や国外、将来世代に与える負荷を最小化するためにも、早急な対策が求められる

5. 協働しボトムアップ型でエネルギーの主権を とりもどすために

⑴ ネットワーク組織の連合体

地域や市民による実践がスピーディに進むよう、国の政策や計画に対しその形成過程から情報を収集・共有し、決定に影響を与える

---

17) 的場・平岡・上園（2021）『エネルギー自立と持続可能な地域づくり』

などの役割を持つ、様々なネットワーク組織による強力な市民社会的連合体の形成が求められる。日本にも、自然エネルギーや気候変動対策に関して、多様な事業者、団体、自治体、研究機関等のネットワークが既に存在しているが、各ネットワークの横断的な連合体はまだ実現されていない。

　例えば、ドイツでは市民エネルギー連合（Bündnis Bürgerenergie）が、2014年1月に結成されている。2013年9月の連邦議会選挙の際に、ボトムアップ型の市民・地域主導のエネルギー大転換を争点化し、再エネ派議員の見える化（リスト化し公表）と署名をはじめとする大々的なアクションが全国で繰り広げられた。しかし、新政権は"中央集権的なエネルギー転換"の方向にかじを切った。強力なロビイング団体の必要性が共通認識として高まり、既存のネットワーク（再エネ業界、小売会社、協同組合、エネルギー事務所など）や求心力のある組織、金融機関、財団等が連携し、新たな全国規模の巨大ネットワークが結成された。ロビイングの強化、政策提言や全国キャンペーンを活発に行うほか、ボトムアップ型の再エネ事業モデルのコンテストなども行っている。

⑵ 対話と熟議を通して主権をとりもどす試み

　いま、誰もが当事者として、対話を通して、望ましい社会のあり方を具体的に構想すること、そのうえで地域の未来を選択し実践することが、必要とされている。2012年には「革新的エネルギー・環境戦略」を国民的議論を経て決めるとされ、「意見聴取会」が開かれた。国主催の「意見聴取会」が11カ所で開催されたのに対し、「自主的な意見聴取会」が全国58カ所（経済団体26、市民・団体等26、大学・自治体等6）で開催され、"エネルギー"について、対話と熟議の高いニーズがあることを示した。

　また、東京電力福島第一原発事故以降、原発稼働の是非を問う住

民投票の実現をめざす運動が各地で起こっている。2011 年 12 月に署名集めがはじまった東京都と大阪市を皮切りに、これまでに全国 8 カ所で、原発稼働の是非を問う住民投票条例の制定を求める直接請求運動が起きている。直近では 2020 年 1 〜 4 月に、茨城県で法定の 1.8 倍にあたる有権者の 3.6％の署名を集めたが、条例案は議会で否決されている。

　原発事故前には、1996 年に新潟県巻町（議員提案）で原発新設の是非が、2001 年には同県刈羽村（直接請求）でプルサーマル利用の是非が、同年には三重県海山町（首長提案）で原発新設の是非が住民投票で問われ、すべて反対の意見が多くを占めた。原発について、お任せにせず一人ひとりが考え、対話や熟議を踏まえ一票を投じるチャンスを求める声は、各地に存在している。

　時を同じくして、気候危機や民主主義の危機に対する方策をめぐり、市民討議等がはじまっている。フランスでは 2019 年 10 月から翌年 6 月にかけて、くじ引きで選ばれた市民 150 名による「気候市民会議」が、「黄色いベスト運動」もきっかけとなり開催された。同会議では、2030 年までに温室効果ガスの排出を 1990 年比で 40％以上削減するための具体的な政策提言を行うことをミッションとし、消費、移動、住、食、働く・生産する、をテーマに討議を重ね、憲法改正や市民の責任を含む 149 の提言を大統領に提出、一部は既に実行され、現在法制化等が議論されている。

　日本では、2020 年 11 月〜 12 月に気候市民会議さっぽろ 2020 が開催された。討議結果は公表されるとともに札幌市で策定中の気候変動対策行動計画などの施策への活用を、市担当者等と議論していくという。

　オーストリアでは、コロナ禍の中、6 月末に 8 日間で 38 万筆の署名を集め（必要数 10 万筆）、気候保全権やカーボンバジェット（炭素予算）を法律に位置づけることなどを国民請願し、議会で検討が

始まっている。

　参加型・熟議民主主義を通して、市民が当事者としてリスク社会に向き合い、自らの行動変容を含む政策を提案し決定に影響を及ぼし、持続可能な社会システムへの移行を加速する挑戦が、世界各地で始まっている。

⑶ オルタナティブな暮らしの実践

　いずれにしても、今後大切になるのは、①地域の資源をエネルギー利用も含め持続可能なペースと範囲で活用すること、②エネルギーの供給に関する情報や技術、人材を地域に取り戻すこと、③食や農業と同じように、日々のくらしの一部としてエネルギーも地域の主体が担い、資金を出し合い生産基盤を共有すること。これらを通して世界経済や"国策"に振り回されない、くらしの基盤とローカルな経済圏を築くことである。

　その実践の一例として、トランジション・タウンがあげられる。トランジションは「移行」を意味し、トランジション・タウンは2005年、イギリス南部の町トットネスで始まった。「エネルギーを多量に消費する脆弱な社会から、適正な量のエネルギーを使いながら、地域の人々が協力しあう柔軟にして強靭な社会、持続可能な社会への移行」[18]を志向している。「移行」に共感する人々が集まりグループが結成され、仲間と共に行政や企業などとも協働しながら地域の暮らしに変化を生み、実践・提案する活動である。暮らしの基本的技術の再習得講座や、自然エネルギープロジェクト、また地域通貨の発行などが行われている。

　日本では、トランジション・ジャパンが2008年6月に発足している。日本各地で実践グループが生まれ、立ち上げ宣言は累計100カ所超にのぼる（2020年時点）。トランジション・タウン運動に関わる人たちの全国ネットワークが形成され、普及・推進に向けた他団

体等との連携、活動、交流が活発に続いている。

6．まとめ

　東日本大震災・東京電力福島第一原発事故は、大規模・中央集権的なエネルギー・社会システムの限界を露呈させた。この経験を風化させないことは、現世代の責任といえる。いま、各地でエネルギーを地産地消し、防災、地域づくりを掲げ、多様な主体が創エネ・小売・さらに配電事業を担う動きはエネルギー自治の実践であり、さらに広がることを期待したい。

　ただ、持続可能な地域づくりとエネルギーの大転換に向けて、エネルギー事業・担い手の多様化は進んだが、分権化は十分ではない。また地域や市民によるボトムアップ型の実践を支援する仕組みの構築もこれからである。長期エネルギー需要予測（次章）は、向かう未来に多様な選択肢があり、私たちはいま重要な岐路に立っていることを示している。第6次エネルギー基本計画と環境エネルギー政策は、対策を先延ばしせず既存の再エネ・省エネ技術の最大活用を大前提とし、エネルギー多消費型の成長志向・経済システムからの脱却と、社会全体の構造的な転換に向けた移行ビジョンと戦略を示すべきである。また対話と熟議のプロセスを取り入れ、地域や市民によるボトムアップ型の実践を支援する仕組みを構築すべきである。自然と共生する脱炭素のエネルギー・社会・経済システムへの移行に向けて、私たち自身にも実践が求められている。

18）トランジション・ジャパンHP「トランジション・タウンの概要」
　　https://transitionjapan.net/about-tt/about-transition-town/（2020年12月29日
　　接続確認）

3
長期エネルギー需給予測

松久保 肇

概要

⑴　2050年までのエネルギー需給を、GDP成長率見通し、将来の人口見通しなどから、部門別エネルギー消費量と電力需要を、また各団体が見通す2050年までの電源導入量などから電力供給量を推計して、2050年までのエネルギー需給を予測した。

⑵　2030年時点の電力需要推計は、業務・家庭部門の電化率が90%となる場合でも、2050年時点では2019年度比9%減となり、2030年時点で石炭火力・原発なしが達成可能となる。

⑶　2050年時点の電力需要推計は、自然エネルギー普及の推進によって、電力供給には支障が生じない。なお、2050年時点では一定量の電力余剰が発生するため、水素化するなどして、産業用に活用することも期待できる。

⑷　最終エネルギー消費を推計した結果、過去行われてきたものと同程度の省エネにより、2050年時点で、2019年度比11%減となる。なお、2010年以降に行われてきたものと同じ程度の強度で省エネを推進した場合の減少率は34%減となる。既存優良技術を積極的に導入した場合、減少幅はさらに拡大する。

1．前提

⑴ 実質 GDP 成長率・実質 GDP

　経済成長率については、2030 年度までは、内閣府「中長期の経済財政に関する試算」（2020 年 7 月 31 日版）のベースラインケース、成長実現ケース、加えて 2000 ～ 2019 年度の平均値である 0.8％成長が続く低成長ケースをシナリオとして想定した。なお、3 シナリオともに 2021 年度は 3.4％成長としている。2030 年以降はベースラインケース、成長実現ケースはそれまでの平均値、低成長ケースは 2030 年以降 0％成長になると想定した。

図1　実質 GDP 成長率推計

図2　実質 GDP 推計

⑵ 人口・世帯数・就労者数

　人口については、国立社会保障・人口問題研究所（社人研）の『日

図３　日本人口推移予測・世帯数推移予測

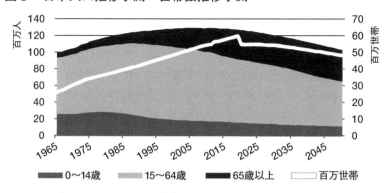

図４　日本人口予測と就業者数推移予測

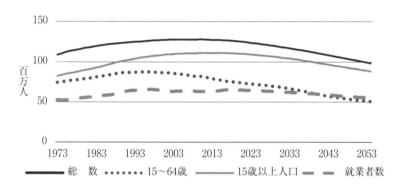

本の将来推計人口（平成 29 年推計）』に基づいて推移するとした。ま
た。世帯数については同じく社人研の『日本の世帯数の将来推計
（全国推計）』（2018（平成 30）年推計）に準拠した。ただし、世帯数に
ついては、2040 年までしか予測されていないため、2050 年までの
10 年分はそれまでのトレンドが継続するものと仮定している。な
お 2019 年度と 2020 年度の間で世帯数が大幅に減少している。これ
は、社人研推計が 2015 年国勢調査をもとに行われているためだと
思われる。

　合わせて、過去の 15 歳以上人口と就労者数から、回帰分析で将

来の就労者数の推移を予測した。推計によれば、就労者数は現在ピークを迎えており、今後、漸減していく。なお、すでに現在、15歳以上の就業者総数に占める高齢就業者の割合は 13.3% [1] となっている。この値は年々増加しており、この傾向は今後も継続するものと見られている。そのため、将来的には 15 歳〜 65 歳のいわゆる生産年齢人口を、就労者数が上回る。

2．エネルギー・電力需要見通し

(1) 製造業

　製造業のエネルギー消費量見通しの前提として、鉱工業指数をGDP 成長率に準拠すると仮定した。結果、低成長の場合は現状とほとんど変わらないが、ベースシナリオでは 2050 年には、現状の1.3 倍、高成長の場合は、現状の 1.5 倍程度になる。

　次に、エネルギー消費量と電力消費量の変動要因をそれぞれ生産要因、構造要因、原単位要因に分けて分析した。

　最終エネルギー消費については、1995 〜 2019 年度の製造業生産と生産要因の関係を平均し、2020 年度以降の鉱工業指数推計をもとに最終エネルギー消費量の押し上げ幅を推計した。構造要因、原単位要因については、これまでと同様のペースで構造変化や省エネが進むと仮定した。

　このトレンドに従って 2050 年まで延長した結果、鉱工業生産がベースシナリオのように成長する場合は、2019 年時点の最終エネルギー消費量を上回る 7.34EJ になった。この場合、おおむね 2005年前後の水準と同程度となる。一方、低成長の場合は、若干減少し

----

1) https://www.stat.go.jp/data/topics/topi1262.html

図5 鉱工業指数推移予測

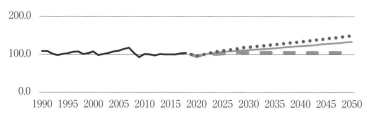

製造工業指数 ベースシナリオ 低成長 ･･･高成長

図6 製造業のエネルギー消費の要因分解（エネルギー白書2020より）

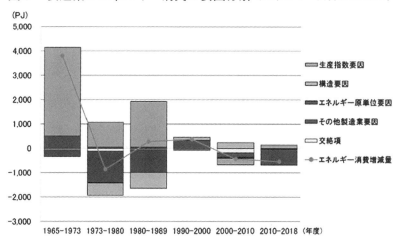

生産指数要因
構造要因
エネルギー原単位要因
その他製造業要因
交絡項
エネルギー消費増減量

1965-1973 1973-1980 1980-1989 1990-2000 2000-2010 2010-2018（年度）

図7 製造業の電力消費の変動要因（前年度差）

生産要因 構造要因 原単位要因 交絡項 電力消費

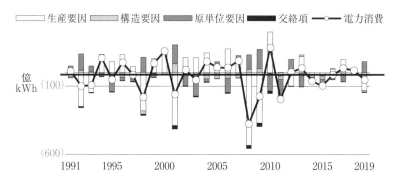

図8　製造業最終エネルギー消費予測

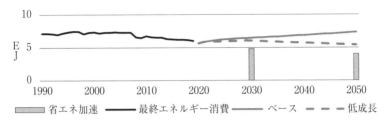

凡例：省エネ加速　最終エネルギー消費　ベース　低成長

図9　製造業の電力消費量予測

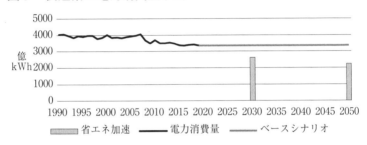

凡例：省エネ加速　電力消費量　ベースシナリオ

て、5.4EJ となる。また、既存優良技術の普及により省エネが進ん
だ場合は、2050 年時点で 4 EJ となる。

　電力消費についても、1995 〜 2019 年度の製造業生産と生産要因
の関係を平均し、2020 年度以降の鉱工業指数推計をもとに電力消
費量の押し上げ幅を推計した。構造要因、原単位要因については、
これまでと同様のペースで構造変化、省エネが進むと仮定した。こ
のトレンドに従って 2050 年まで延長した結果、2019 年時点とほぼ
同様の 3361 億 kWh になった。また、既存優良技術の普及により
省エネが進んだ場合は、2050 年時点で 2230 億 kWh となる。

(2) 業務部門

　業務部門のエネルギー消費量は延べ床面積および延べ床面積当た
りエネルギー消費量または電力消費量に分解できる。そこで、まず、

図10　就業者一人当たり延べ床面積

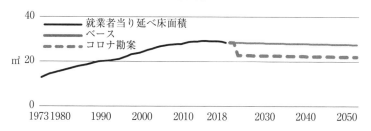

図11　業務部門 延べ床面積

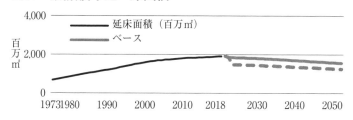

延べ床面積の将来推計を行った。

　2010年ごろまで、就業者一人当たり延べ床面積は増加し続けてきたが、2010年以降、頭打ちとなっている。今後もフリーアドレスやテレワークの導入から、一人当たり延べ床面積の減少傾向は続くものと想定する。そこで、2010～19年の就業者当り延べ床面積の推移（年-0.1%）が今後も継続するケースをベースシナリオとした。これに加えて新型コロナウィルスにかんする緊急事態宣言解除後のリモートワーク実施率が25%前後となっていることから、今後、一人当たり延べ床面積が20%減少[2]、その後はベースシナリオと同様に年-0.1%減少すると仮定したシナリオを作成した。

　合わせて、延べ床面積当り最終エネルギー消費量と電力消費量を

2）緊急事態宣言解除後の全国のテレワーク実施率は5月時点で25.7%、11月時点でも24.7%であったことから、コロナ禍後のオフィス縮小を20%と仮置きした。
https://rc.persolgroup.co.jp/news/202012160001.html

2010 〜 19 年の推移を延長することで推計した。

　就労者数が高齢化社会の進展に伴い、漸減していくこと、オフィス面積が将来的には縮小していくこと、省エネ化が進展することなどから、業務部門の最終エネルギー消費量は 2018 年時点の 2.12EJ から、2050 年時点では 1.11EJ まで減少する。またコロナ禍

図12　延べ床面積 1 ㎡当り最終エネルギー消費量・電力消費量

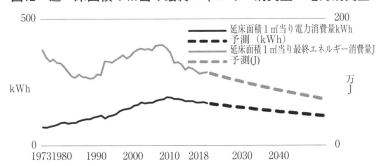

図13　業務部門最終エネルギー消費推計

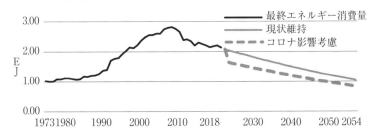

図14　業務部門電力消費推計

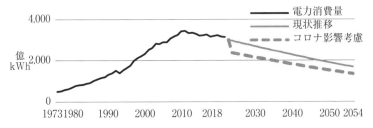

後のオフィス面積の縮小が大幅に進んだ場合は 0.89EJ まで減少する。電力消費量についても同様に、2018 年時点の 3147 億 kWh から、2050 年時点では 1783 億 kWh、またはコロナ禍の影響を勘案した場合は 1428 億 kWh に減少する。なお、業務部門の電化率が 90％ まで上昇した場合の 2050 年時点電力需要は 2275 億 kWh になる。

⑶ 家庭部門

　家庭部門のエネルギー消費量は世帯数と 1 世帯当たりエネルギー消費量、または電力消費量に分解できる。そこで、過去の 1 世帯当たり電力消費量および最終エネルギー消費量推移を確認したところ、いずれも 2010 年を境に減少傾向に入った。そこで、2000 ～ 2019 年の推移を 2050 年まで延長し、世帯数予測と掛け合わせて最終エネルギー消費量と電力消費量の推移を計算した。また 2010 ～ 2019

図15　家庭部門最終エネルギー消費量予測

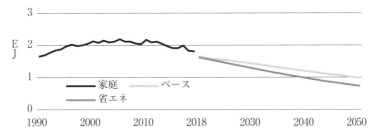

図16　家庭部門電力消費量予測

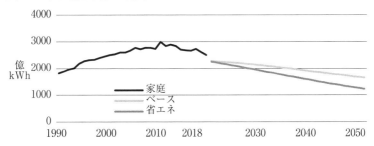

年の推移が継続したケースを省エネシナリオとして計算した。

　高齢化社会と人口減少に伴い、世帯数は減少する。また、省エネが進展することから、エネルギー消費量および電力消費量は減少する。最終エネルギー消費量は2019年時点で1.8EJだったものが、2050年にはベースシナリオで1EJ、省エネシナリオでは0.7EJまで減少する。電力消費量も2019年時点で2501億kWhだったものが、2050年時点ではベースシナリオで1647億kWh、省エネシナリオでは1225億kWhまで減少する。なお、家庭部門の電化率が90％まで上昇した場合の電力消費量は1838億kWhとなる。

(4) 運輸部門

　運輸部門は大きく旅客部門と貨物部門に分類される。ただし、いずれの部門も自動車が消費の大半をしめているため、ここでは、自動車の将来の保有状況から、エネルギー消費量・電力消費量を推計する。

　まず新車販売台数については政府の「2050年カーボンニュートラルに伴うグリーン成長戦略」にある「遅くとも2030年代半ばまでに、乗用車新車販売で電動車100％を実現」との目標に準拠した。なお、電動車とは電気自動車、燃料電池自動車、プラグインハ

図17　新車販売台数予測

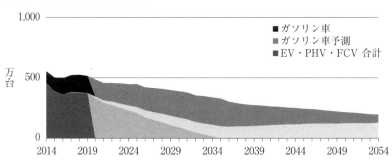

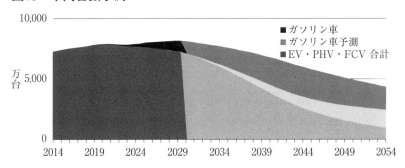

図18　車両台数予測

10,000

■ ガソリン車
■ ガソリン車予測
■ EV・PHV・FCV 合計

万台

5,000

0

2014　2019　2024　2029　2034　2039　2044　2049　2054

図19　運輸部門最終エネルギー消費予測

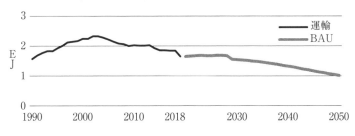

3

EJ

2

1

0

――運輸
――BAU

1990　　2000　　2010　2018　　2030　　2040　　2050

イブリッド自動車、ハイブリッド自動車の4車種になる。ここで
は 2035 年に新車販売の比率をハイブリッド 70％、電気自動車 30％、
ガソリン車 0％になり、その後は電気自動車、燃料電池自動車の
増加傾向に応じてハイブリッド車の比率が低下していくと仮定した。

　また、全体の新車販売台数については、乗用車および 2 輪車は保
有台数を世帯数と 15 〜 65 歳人口で回帰分析して推計した。貨物車、
乗合車、特種（殊）用途車は過去 10 年の人口 1 人当たり台数の平
均から車両台数を算出して、過去の廃車数と保有台数の関係から毎
年の増加分を販売台数として計算した。

　なお、電動車比率の増加に応じて、電動車利用の環境整備が進む
ことで、ガソリン車からの乗り換え需要が拡大し、新車販売台数が
増加して、現状の予測よりも車両台数に占める電動車比率が増加す

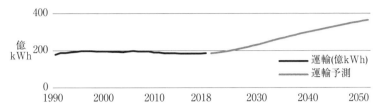

図20　運輸部門電力消費量予測

400

億
kWh　200

0

1990　　2000　　2010　　2018　　2030　　2040　　2050

運輸(億kWh)
運輸予測

る可能性もある。

　しかし、30年前の1990年には9.3年だった乗用車の平均使用年
は2020年現在13.5年となった。使用年数の長期化はとりわけ2000
年以降、顕著となっている。原因は自動車の性能向上、景気の低迷
などと指摘されている。仮にこのままの傾向で推移した場合、使用
年数は2050年には17年を超えることになる。なお、2020年現在、
車種は違うもののバスなどの乗合車で18年超、貨物車で15年超と
なっている。そのため、ここでは、乗り換え需要の拡大は見込まな
かった。

　電動自動車のストック量をもとに、自動車1台当たり年間走行距
離が9210km（2012年度）、電動車の電力消費量は7km/kWhになる
と仮定して運輸部門の電力消費量・最終エネルギー消費量を推計し
た。なお、人口減少にともない、航空・鉄道・船舶分のエネルギー
消費量は減少することが見込まれるが、保守的に想定して、2018
年度の値をそのままとしている。

⑸ その他部門
　農林水産業、建設業、鉱工業の最終エネルギー消費量、電力消費
量については、1990〜2018年までの傾向がそのまま継続すると仮
定した。

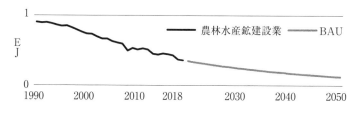

図21 その他部門 最終エネルギー消費予測

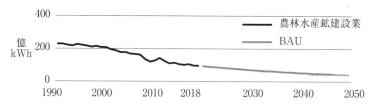

図22 その他部門 電力消費量予測

⑹ まとめ

　ここまで推計した各部門の最終エネルギー消費量および電力消費量を以下にまとめた。2030年時点の高位予測では、2019年時点と比べて最終エネルギー消費量はほとんど変わらず、電力消費量は業務・家庭部門の電化の進展、運輸部門での電動車の増加に伴い電力消費量は増加している。低位予測では最終エネルギー消費量・電力消費量ともに大きく減少する。2050年時点では、高位・低位ともに2019年時点に比べて減少する。

表1　最終エネルギー消費量まとめ（単位：EJ）

	2019（総合エネルギー統計より）	2030			2050		
		ベース	高位	低位	ベース	高位	低位
製造	6.00	6.46	6.98	4.84	7.34	8.42	4.04
業務	2.12	1.72	1.72	1.38	1.14	1.14	0.91
家庭	1.81	1.43	1.43	1.28	0.99	0.99	0.74
運輸	1.65	1.54	〃	〃	1.01	〃	〃
その他	0.36	0.25	〃	〃	0.12	〃	〃
計	11.94	11.4	11.92	9.29	10.6	11.68	6.82

表2 電力消費量まとめ（単位：億kWh）

	2019（総合エネルギー統計より）	2030			2050		
		ベース	高位	低位	ベース	高位	低位
製造	3,358	3,359	3,361	2,620	3,361	3,367	2,230
業務	3,147	3,175	3,175	2,068	2,840	2,840	1,480
家庭	2,501	2,285	2,538	1,905	1,838	2,471	1,225
運輸	175	242	〃	〃	364	〃	〃
その他	96	70	〃	〃	40	〃	〃
計	9,277	9,131	9,386	6,905	8,443	9,082	5,339

図23　最終エネルギー消費量予測まとめ

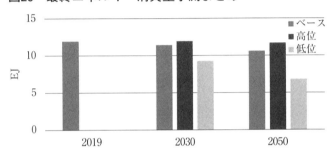

図24　電力消費量予測まとめ

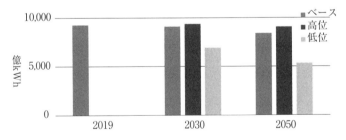

3．電力供給見通し

　2030 年時点で、石炭火力、原子力、石油火力がフェードアウトしていること、また、2050 年時点では LNG 火力もフェードアウトしていることを前提にして、各業界団体の導入目標、または、経済産業省・環境省の導入ポテンシャル見込みなどから 2050 年までの電力供給見通しを行った。結果、ベース予測の需要は十分に満たすことができる結果となった。ただ、経済成長が 2000 ～ 19 年平均を上回る形で進展し、さらに電化が進展する一方で、省エネが進まなかった場合にあたる高位予測では供給力が不足する。

　また、2020 年 12 月から 1 月にかけて、厳気象による電力需要増加と豪雪による太陽光発電による供給低下と LNG の供給不足があいまって、電力供給がひっ迫する状況が生じた。輸入燃料、特に備蓄が多くなく、パイプラインが少ない日本にとって LNG 依存が高すぎることのリスクが顕在化した。本試算では 2030 年にかけて LNG 依存度が増加していく。各部門での省エネの推進と、自然エネルギー導入拡大にむけたさらなる努力によって、LNG 依存度低減、再エネ比率＝国内自給率の向上が求められる。

図25　発電電力量推計

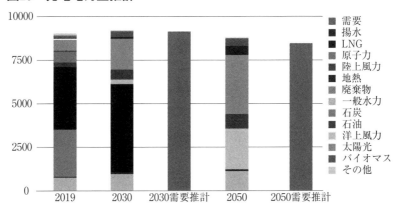

表3 電力供給力推計

	一般水力	揚水	石炭	LNG	石油	原子力	洋上風力	陸上風力	太陽光	地熱	バイオマス	廃棄物	その他
設備利用率	45%	3%	70%	70%	40%	70%	30%	23%	13%	83%	70%	30%	

2019

	一般水力	揚水	石炭	LNG	石油	原子力	洋上風力	陸上風力	太陽光	地熱	バイオマス	廃棄物	その他
設備容量(万kW)	2,168	2,747	4,595	8,365	2,990	3,308		433	5,535	53	331	106	40
発電電力量(億kWh)	757	65	2,681	3,594	278	604		82	634	25	167	28	115
発電電力量構成比	8%	1%	30%	40%	3%	7%	0%	1%	7%	0%	2%	0%	1%

設備容量計(万kW) 30,671　発電電力量計(億kWh) 9,277　需要(億kWh) 9,030

2030（電力広域的運営推進機関 2020年度供給計画より）

	一般水力	揚水	石炭	LNG	石油	原子力	洋上風力	陸上風力	太陽光	地熱	バイオマス	廃棄物	その他
設備容量(万kW)	2,500[iii]	2,747	0	8,291	0	0	1,000[iv]	2,660[v]	15,800[vi]	100	550	100	–
発電電力量(億kWh)	986	72	0	5,084	0	0	263	536	1,799	73	337	26	–
発電電力量構成比	11%	1%	0%	55%	0%	0%	3%	6%	20%	1%	4%	0%	–

設備容量計(万kW) 27,971　発電電力量計(億kWh) 9,176　需要(億kWh) 6,905~9,386　ベース:9,131

2050

	一般水力	揚水	石炭	LNG	石油	原子力	洋上風力	陸上風力	太陽光	地熱	バイオマス	廃棄物	その他
設備容量(万kW)	2,800[vii]	2,747	0	0	0	0	9,000[viii]	4,000[x]	30,000[xi]	632[ix]	623[ix]	100	–
発電電力量(億kWh)	1,143	72	0	0	0	0	2,365	806	3,416	509	429	26	–
発電電力量構成比	13%	1%	0%	0%	0%	0%	27%	9%	39%	6%	5%	0%	–

設備容量計(万kW) 49,902　発電電力量計(億kWh) 8,631　需要(億kWh) 5,339~9,082　8,443

i) https://www.enecho.meti.go.jp/committee/council/basic_policy_subcommittee/mitoshi/cost_wg/007/pdf/007_05.pdf
ii) https://www.occto.or.jp/kyoukei/torimatome/files/200331_kyokei_torimatome.pdf
iii) https://warp.da.ndl.go.jp/info:ndljp/pid/11457033/www.enecho.meti.go.jp/committee/council/basic_policy_subcommittee/mitoshi/004/pdf/004_06.pdf
iv) https://www.meti.go.jp/shingikai/energy_environment/yojo_furyoku/pdf/002_02_01.pdf
v) https://www.meti.go.jp/shingikai/enecho/denryoku_gas/saisei_kano/pdf/014_03_00.pdf
vi) https://www.jspu-koeki.jp/sinpo/docs/20200127_4-2-3_ikki.pdf
vii) https://www.env.go.jp/earth/report/h27-01/
viii) https://www.meti.go.jp/shingikai/energy_environment/yojo_furyoku/pdf/001_04_01.pdf
ix) http://www.jpea.gr.jp/pdf/pvoutlook2050.pdf

あとがき

　2011年3月11日、日本観測史上最大のマグニチュード9.0を記録した東北地方太平洋沖地震にともなう東日本大震災は、東北地方太平洋沿岸地域を中心に、甚大な被害を与えました。特に、最大40mを超す津波は、家屋や人、多くの施設を飲み込み、被害を拡大させました。福島第一原発1号機から3号機は、浸水や地震による施設倒壊などに見まわれ、結果としての「全電源喪失」によって核燃料の再冷却が困難な状況に陥り、核燃料のメルトダウン、水素爆発、放射性物質の大気への大量放出が起こりました。周辺自治体の住民は、避難を余儀なくされ、事故後10年を経過した現在もなお、帰還困難地域は双葉町、大熊町など1市6町、面積337万㎡、地域内の住民登録者は2万2000人にもおよんでいます。溶融した核燃料（デブリ）の状態は明らかではなく、事故収束の作業は見通しが立ちません。冷却によって発生するトリチウムなど放射性物質を含む汚染水については、海洋放出も検討され、現在でも多くの困難な課題を克服できずにいます。国際原子力事象評価尺度（INES）では、最高レベル「7」の深刻な事態となっています。

　原水禁は、この事故に先立つ2011年1月5日「原水禁エネルギープロジェクトからの提言 - 持続可能で平和な社会をめざして」を発刊しました。自然エネルギーを基幹エネルギーと考え、原発の寿命40年として2050年には原発ゼロを実現しようとするものでした。当時事務局長であった私は、前書きで「政府が本腰を入れて自然エネルギーの活用に踏み出し、低炭素社会、脱原子力社会を作りあげることを熱望する」と書きました。その直後に福島第一原発事故が起こり、「2050年原発ゼロ」などとは言ってはいられない状況になりました。2012年7月16日に、渋谷区代々木公園で開催した「さようなら原発10万人集会」には、想像を超える17万人の市民

が集まりました。脱原発社会を求める声は、圧倒的支持を集めることとなりました。

　しかし、事故後10年、今の原発をめぐる状況はどうでしょうか。全国の商業炉24基が廃炉となりましたが、いまだ既存原発が33基、計画中や建設中を含めると40基が国内に存在します。その内、新規制基準をクリアしたとして9基が再稼働しています。加えて40年を超える老朽原発の運転延長も現実となっています。

　日本は、地勢的特徴から大型台風などによる豪雨・洪水などの災害に襲われて来ました。しかし、世界中で「気候危機」が叫ばれる今日、その被害は急激に大きなものとなっています。脱炭素社会の構築は、いまや世界規模で喫緊の課題となり、日本政府も、国際世論の圧力から「2050年までにカーボン・ニュートラル、脱炭素社会」をめざすとしました。しかし、現実には石炭火力新規建設計画の見直しもなく、原発依存からも脱却せず、自然エネルギーの進捗に消極的であるなど、脱炭素社会がかけ声だけに終わるかに見えます。また、福島原発事故の反省もなく、脱炭素社会の実現を原発を以て成し遂げようとする勢力が台頭してきています。

　近代の成立以降、人間は自然を科学によってねじ伏せるかのように生きてきました。そのことが、原発事故を引き起こし、気候危機につながり、現在のコロナ禍を招いたのだと思います。今まさに、人間社会は、地球環境との共存を求められています。そのことなくして人間の命を全うすることは、不可能ではないでしょうか。

　原水禁は、福島原発事故10年にあたって、脱原発と脱炭素が両立することを明らかにしようと考え、「2021年原水禁エネルギー・シナリオ」をまとめました。これが、日本の将来を構想する一助になれば幸いです。

原水爆禁止日本国民会議
共同議長　藤本泰成

[編著者紹介]

原水爆禁止日本国民会議（げんすいばくきんしにほんこくみんかいぎ）

　原水爆禁止日本国民会議は、1965年に結成された日本でもっとも大きな反核、平和運動団体です。全国の47都道府県のすべてに原水禁組織があり、労働組合、青年団体、女性団体、消費者団体など30の全国組織が加盟しています。ヒロシマ・ナガサキの「被爆の実相」を原点に、「核と人類は共存出来ない」の考えのもと、核兵器廃絶はもちろん、原子力政策にも一貫して反対し、原子力政策の根本的転換を訴えています。また、あらゆる核開発過程で生み出されるヒバクシャへの援護・連帯を進めています。

原水爆禁止日本国民会議
東京都千代田区神田駿河台 3-2-11　連合会館 1F
tel.03-5289-8224
fax.03-5289-8223
mail.office@peace-forum.top
http://peace-forum.com/gensuikin/

脱原発・脱炭素社会の構想
──原水禁エネルギー・シナリオ

2021年8月6日　初版第1刷発行　　　　　　　定価 1,700 円＋税

編著者　原水爆禁止日本国民会議 ©
発行者　高須次郎
発行所　緑風出版
　　　　〒113-0033　東京都文京区本郷 2-17-5　ツイン壱岐坂
　　　　［電話］03-3812-9420　［FAX］03-3812-7262
　　　　［E-mail］info@ryokufu.com
　　　　［郵便振替］00100-9-30776
　　　　［URL］http://www.ryokufu.com/

装　幀　斎藤あかね
制　作　R 企 画　　　　　　　　印　刷　中央精版印刷・巣鴨美術印刷
製　本　中央精版印刷　　　　　用　紙　中央精版印刷・巣鴨美術印刷　　E1500

◎緑風出版の本

告発・原子力規制委員会
被ばくの実験台にされる子どもたち
松田文夫著

四六判並製
二〇八頁
1800円

福島第一原発の事故後、国が大幅に緩和した被ばく限度二〇ミリシーベルトの値は、その理論的根拠が明確ではなく、それを規定する法律もない。本書は、子どもたちを被ばくの実験台にしようとするのは、いったい誰なのか──それを明らかにする。

科学者の社会的責任を問う
荻野晃也著

四六判上製
二七二頁
2500円

湯川秀樹らの集う原子力研究のメッカで、反旗を翻して反原発運動の黎明期に活動。「全国原子力科学技術者連合」の組織化に邁進し、「伊方原発訴訟」の弁護補佐人として安全性論争を担った著者の闘いの軌跡。科学者の社会的責任を改めて問う。

核被害の歴史
ヒロシマからフクシマまで
稲岡宏蔵著

A5判上製
三七六頁
3600円

本書は、核時代の歴史の変遷の中で、核被害者の人権と加害者の責任に焦点をあてて歴史を総括。ヒバクシャをはじめとする世界の人びとが、反核平和・反原発のたたかいを通じて、核廃絶のためにどのように苦闘してきたかを考察した労作。

原発時代の終焉
東京電力福島第一原発事故一〇年の帰結
小森敦司著

四六判上製
一九六頁
1800円

東京電力福島第一原発事故から一〇年。しかし、原発を支える構造は変わらず、自民党政権は原発推進路線に舵を切った。本書は、事故が福島の人びとにいかに精神的・肉体的に犠牲を強い、原発推進が国民全体の犠牲につながるものであるかを示す。

ピース・アルマナック2021
核兵器と戦争のない地球へ
ピースデポ・アルマナック刊行委員会編著
梅林宏道監修

B5判並製
二六二頁
2300円

核兵器廃絶、脱軍備、平和のために働く市民、自治体などの座右の書を目指す本書は、年鑑として、前年の主要な動向を記録・検証し、原典資料を翻訳・収録する。世界平和にとって重要な関心事であるロボット兵器や宇宙戦争の問題にも注目する。

■全国どの書店でもご購入いただけます。
■店頭にない場合は、なるべく書店を通じてご注文ください。
■表示価格には消費税が加算されます。

プロブレムQ&A
どうする？放射能ごみ【増補改訂新版】
［実は暮らしに直結する恐怖］
西尾漠著

A5判変並製
208頁
1700円

原発から排出される放射性廃棄物の処理は大変だ。原発のツケを子孫に残さないためにはどうしたらいいのか？増補改訂新版では、福島原発事故による放射能ごみ問題など新たな事態に応じ、最新データに基づき大幅加筆。

原発再稼働と海
湯浅一郎著

A5判上製
二三二頁
2800円

安倍政権による原発再稼働が始まった。する一七サイトの原発、六ヶ所再処理施設、米原子力空母が大事故を起こした場合、いかなる事態になるのか、とりわけ海への影響という観点から個別にシミュレーションする。

放射能は人類を滅ぼす
落合栄一郎著

A5判上製
一九六頁
2800円

本書は、放射能の本質を議論し、現在喧伝されている「放射能安全神話」の誤りと、体制側がいかに真実の隠蔽を図っているかを検証する。真実とは、「放射能は命と相容れない、核産業を保持しようとする側は、その真実を隠さざるをえない」。

原発は終わった
筒井哲郎著

四六判上製
二六八頁
2400円

原発の世界市場からの敗退と発電産業の世代交代は、福島原発事故の帰結でもある。本書は、原発産業を技術的・社会的側面から分析し、電力供給のために、甚大なリスクを冒して国土の半ばを不住の地にしかねない政策の愚かさを明らかにする。

放射能汚染の拡散と隠蔽
小川進・有賀訓・桐島瞬著

四六判並製
二九二頁
1900円

福島第一原発は未だアンダーコントロールになっていない。放射能汚染は現在も拡散中である。政府・東電・自治体・マスコミが一体となって情報操作し、隠し続ける放射能汚染の実態……。福島の人びとは福島から逃げる勇気を持ってほしい。

原発フェイドアウト
筒井哲郎著

四六判上製
二七二頁
2500円

福島原発事故後、人びとの見方は着実に脱原発の方に向かっている。しかし、いま福島で進む施策は上辺を糊塗するにとどまり、将来に禍根を残すものだ。合理的な選択を行うにはどうしたらよいのか、プラント技術者の視点で原発の本質を考える。